북한 학생들은
학교에서 무엇을 배울까?

북한 학생들은 학교에서 무엇을 배울까?

발 행 | 2024년 6월 1일

저 자 | 장양기

펴낸이 | 한건희

펴낸곳 | 주식회사 부크크

출판사등록 | 2014.07.15.(제2014-16호)

주 소 | 서울특별시 금천구 가산디지털1로 119 SK트윈타워 A동 305호

전 화 | 1670-8316

이메일 | info@bookk.co.kr

ISBN | 979-11-410-8681-7

www.bookk.co.kr

북한 학생들은
학교에서 무엇을 배울까?

장양기 지음

CONTENT

프롤로그

감사로 생각하면 모든 것이 축복이라고 한다.

살아보니 내가 정말 하고 싶었던 것을 못해도 그 나름대로 이유가 있었고, 좋은 점도 있었다. 반대로 내가 하고 싶었던 것을 했을 때 좋지 않은 점도 있었다. 살아보니 '감사하다'는 말을 항상 하고 사는 것이 쉽지는 않지만, 긍정적으로 생각하고 '그만하니 다행이다'라고 생각하며 사는 것이 좋았다.

그동안 내 삶에 도움을 준 많은 사람들에게 다시 한번 고맙다고 말하고 싶다. 그리고 나는 매 순간 최선을 다하며 살아왔다고 자부할 수 있다.. 물론 후회를 한 적도 많고 지금도 이 글을 쓰면서 후회를 한다. 살아보니 순간 순간 모든 것이 선택의 연속이었다. 노란 숲속에 있었던 두 갈래 길 중 가지 않은 길을 아쉬워하지만 내 선택의 기준은 후회를 적게 하는 쪽이었다.

이 책은 북한 지도자시기 별로 북한 학생들이 학교에서 공부한 내용을 중심으로 교육과정 및 그 변화를 살펴보았다. 책에 표기된 내용은 북한의 신문, 잡지 등에서 사용된 문구 그대로 인용하였다.

모든 것에 감사하며 지은이 드림

part **1**

북한의 교육이념과 교육정책의 변화

1. 북한에서 교육은 어떤 의미일까?

자유주의와 공산주의 사상이 대립하면서 남한[1]과 북한에는 서로 다른 이데올로기가 등장하였다. 그 과정에서 남한과 북한은 국민들을 통합하고 각자 체제 및 이념의 우월성을 과시하고자 상호 비방하기도 하였다. 상호 이해를 통해 화합하고 협력하기보다는 상호 비난

---

1) 북한 지리교과서에서 휴전선 남쪽 지역은 '남조선'(안성룡, 2001. p.62, p.86, 문영빈 외, 1991. p.7, 진창훈 외, 2001. p.8), 공화국남반부(문영빈 외, 1991. p.7)로, 휴전선 북쪽 지역은 '우리 나라', '조국'(지국철 외, 2014. p.8, p.36, p.46) 등으로 표현한다.

하고 적대감을 조장하면서 대립하였다. 특히 북한은 그들의 이념을 다음 세대로 계승시키려고 부단히 노력하였으며, 학생들과 주민들에게 체제의 우수성과 정당성을 강화하고자 교육제도를 이용하였다.

'교육'은 동서고금을 막론하고 중요시하는 분야이지만, 특히 북한에서는 사회주의 이념의 우월성 및 정권 유지를 위해 '교육'을 적절히 이용해 왔다. 지금까지 북한 사회에서 교육은 사회주의 건설, 최고지도자의 세습 및 우상화, 이데올로기 형성, 노동력의 재생산 등의 기능을 담당해 왔다. 북한의 교육 목표가 '공산주의 혁명인재 육성'이라는 대전제를 바탕으로 삼고 있기 때문에 다음 세대로의 전달 목표는 뚜렷하였다. 따라서 북한의 교육체제 및 교육과정은 공산주의 이념을 잘 구현하는 공산주의적 혁명인재 육성의 목표로 방향을 추구할 수밖에 없었다. 이러한 공산주의 이념을 잘 반영하여 만든 것이 바로 북한의 교육과정이다.

이번 책에 활용된 자료들은 북한자료실의 「로동신문」, 「교육신문」 등 신문자료와 『인민교육』, 『교원선전수첩』 등의 정기발행 간행물을 참고하였다.[2]

교육과정은 학교교육에서 학습하는 교육내용 및 수업 시간 등을 체계적으로 구성한 것이다. 많은 국가에서 교육과정에 근거해 만든

---

2) 국립도서관 북한자료실 내 비치된 CD 자료와 서가의 출판물 자료를 기준으로 하였다(2020년 1월).

교과서를 바탕으로 단위학교에서 학생들에게 교육을 한다. 이러한 교육과정은 시대적 요구를 반영하며 국가에서 육성하고자 하는 인간상 등이 내포되어 있다. 북한에서도 최근에 교육관련 법령을 정비하고 교육강령을 수정·보완하였다. 사회주의 교육의 사상과 이론은 1968년 발표한 '학생들을 사회주의·공산주의 건설의 참된 후비대로 교육교양하자', 1961년 '청소년교양에서 교육일군들의 임무에 대하여', 1971년 전국교원대회에서 연설한 '교육 사업에서 사회주의교육학의 원리를 철저히 구현할 데 대하여', '사회주의교육에 관한 테제' 등에 구체적으로 제시되어 있으며 최근 법령을 제정하였다.

북한 학교교육의 교육이념과 기본원리에 대한 교육법 등은 상위법인 조선민주주의인민공화국 사회주의헌법3) 등에 제시되어 있으며, 북한 교육정책의 구체적인 방향은 하위법인 조선민주주의인민공화국 어린이보육교양법(1976년 제정), 조선민주주의인민공화국 교육법(1999년 제정), 조선민주주의인민공화국 보통교육법(2011년 제정), 조선민주주의인민공화국 고등교육법(2011년 제정), 조선민주주의인민공화국 교원법(2015년 제정) 등에서 살펴볼 수 있다. 북한 교육관련 법령들은 기존의 최고지도자 교시내용 및 사회주의 교육에 관한 테제 등의 내용과 일맥상통하지만 구체적으로 논의되지 않았던

---

3) 조선민주주의인민공화국 사회주의 헌법은 1972(주체 61)년 12월 27일 최고인민회의 제5기 제1차 회의에서 채택되어, 2019(주체 108)년 8월 29일까지 총 9차례의 수정 보충을 하였다.

부분을 보완하고 절차적으로 구체화하였다. 현재 시행되고 있는 전반적 12년제 의무교육은 2012년 9월 조선민주주의인민공화국 최고인민회의 제12기 제6차 회의에서 조선민주주의인민공화국 최고인민회의 법령으로 '전반적 12년제 의무교육을 실시함에 대하여'를 발표하면서 시행되었다.

김정은시기에 발표된 '전반적 12년제 의무교육을 실시함에 대하여'의 다섯 가지 발표 내용은 다음과 같다. 첫째 조선민주주의인민공화국의 모든 지역에서 12년제 무상으로 의무교육을 실시한다. 둘째 12년제 의무교육의 실시와 관련하여 부족한 교원들을 보충하며 교원들의 자질을 높이고 교육방법을 개선하기 위한 대책을 세운다. 셋째 교육 사업에 대한 국가적 투자를 늘이며 12년제 의무교육을 실시하는데 필요한 환경과 조건을 마련한다. 넷째 12년제 의무교육을 성과적으로 실시하기 위한 법적통제와 행정적 지도를 강화한다. 다섯째 조선민주주의인민공화국 내각과 해당 기관들은 이 법령을 집행하기 위한 실무적 대책을 세울 것이다(박상우, 2020, p.60).

또한 북한은 기존에 있었던 조선민주주의인민공화국 어린이보육교양법, 조선민주주의인민공화국 교육법과 함께 조선민주주의인민공화국 보통교육법을 2011년 제정하면서 조선민주주의인민공화국 고등교육법, 조선민주주의인민공화국 교원법 등도 제정 및 수정하였다. 조선민주주의인민공화국 보통교육법은 2011년 최고인민회의 상임위원회 정령 제1355호로 채택되었으며 두 차례에 걸쳐 수정 보충이 있었다. 총 6장으로 구성되어 있으며 북한 보통교육의 전반적인 부분에 대해서 규정하고 있다. 보통교육의 정의, 전반적 12년제 의무교육실시(제3조), 학교의 배치(제20조), 소학교, 초급중학교, 고급중학교의 운영(제22조), 맹·롱아 학교의 운영(제25조), 교원의 자격(제30조), 교원의 책임과 역할(제34조), 교육강령에 따르는 교육교양사업 조직(제36조), 학급편성(제37조), 학급담임제, 학과목담당제의 실시(제38조), 정치사상교육, 일반지식교육, 체육, 예능교육(제40조), 학생의 실력평가(제43조), 교육과학연구사업의 강화(제48조) 등 교육의 전반적인 부분에 대해서 규정하고 있다.

북한에서 교육은 공산주의적 새 인간을 만들어내는 것이며 새 인간형은 북한식 사회주의를 고수하고 발전시키는 원동력으로 간주된다. 그것은 북한에서 정치체제 유지를 위한 교육을 말하며, 넓은 의미로 사회주의교육 전반을 가리키거나 정치사상교양 및 정치사업, 사상사업, 정치사상사업, 주체사상교양, 주체사상학습 등으로 표현되며 '온 사회의 주체사상화'를 실현하기 위한 수단으로 교육이 활용되고 있기 때문이다(이성희, 2019. p.63).

결국 북한에서의 교육은 북한에게 적합한 인간육성을 위한 수단이었으며 시기별 북한의 교육이념은 사회주의국가 정치이념을 뒷받침하는 것으로 당의 정치지도 이념과 발전의 궤를 같이 하면서 사회주의 사회에서 북한 교육은 이데올로기 강화를 위한 중요한 도구로 이용되었다(박상우, 2020, p.624). <표 2>는 북한에서 최고지도자별로 조선민주주의인민공화국 사회주의헌법에서 표명한 교육을 통해 육성하고자 하는 인간상을 정리한 것이다.

<표 2> 교육을 통해 육성하고자 하는 인간상

시 기	육성하고자 하는 인간상	법 령
김일성 시기	지덕체를 갖춘 공산주의적 새 인간	1972년 사회주의헌법 제39조
김정일 시기	지덕체를 갖춘 주체형의 새 인간	2016년 사회주의헌법 제43조
김정은 시기	지덕체를 갖춘 사회주의건설의 역군	2019년 사회주의헌법 제43조

2. 북한 정권 수립과 북한의 의무교육

김일성은 북한에서 소련의 지지를 받으며 사회주의 체제 구축을 위해 여러 방면으로 시도한다. 김일성은 1945년 9월 19일 원산항으로 입북하여 평양에 입성한 후 비밀리에 정치활동을 시작한다. 또한 북한 주민들의 못 가진 한과 못 배운 한을 해소하는 방법으로 토지개혁과 무상교육 정책을 펼친다.

토지개혁은 짧은 시일 내에 빠르게 이루어졌고4)(김학준, 2018, pp.204-205) 이것을 계기로 공산당과 김일성은 북한 주민들의 지지를 받을 수 있었다. 북한 주민들은 8%의 지주들이 가지고 있던 54%의 토지를 빼앗아 소작농들에게 무상으로 배급하는데 북한 주민의 대부분이 소작농이었다(김수민, 1999, p.23). 이것은 조선시대 이후 지속해서 양반의 폭정 아래에서 힘들게 살아온 많은 북한 주민들에게는 고마운 일로 받아들여졌다. 따라서 그들이 '소유하고 싶은 땅'을 소유하게 하는 북한의 토지정책은 북한 주민들에게 환영을 받았으며 희소식과도 같은 것이었다.5)

---

4) 북조선주둔소련군사령부의 민정총국장 로마넨코 소장은 11월 30일에 북조선 「토지개혁에 대한 제언」을 연해주군관구에 제출하면서 북한에서의 토지개혁을 파종이 시작되는 1946년 3월 말 이전에 끝내야 한다고 제의했다.

5) "제땅을 가지고 마음껏 농사를 지어보았으면 하는 것은 우리 농민들이 수천년을 두고 간절히 바라온 소원이었습니다(제21과 토지개혁을 위한 길에서 단원 중에서)"(최동철, 2013, p.82).

남한 지역에서 미군정은 동양척식주식회사 토지 등 일본인 토지를 중심으로 신한공사(新韓公社)를 조직하여 식량의 안정적 공급원으로 삼는 미군정 중심의 현상유지 방식을 취하였다. 따라서 신한공사 토지는 미군정 종료 직전에 불하되었다. 반면 북한 지역에서는 인민위원회가 몰수와 분배의 주체가 되고, 농민에게 경작권을 주며, 농민이 3·7제에 준하여 수확물의 30%를 조세로서 인민위원회에 납부하는 방식이 각 도에서 취해졌다. 이 방식은 향후 인민위원회들의 연합조직인 북조선임시인민위원회를 몰수와 분배의 주체로 삼고, 농민에게 제한된 소유권을 주되 각 인민위원회가 토지 행정을 처리하며, 수확물의 25%를 조세로 제공하는 토지개혁의 원형을 이루게 된다.(김학준, 2018, p.204)

북한 주민들 입장에서 조선시대 이후 큰 변화가 없다고 느낄 수도 있다. 조선시대 왕조를 이루고 있던 체제하의 북한 지역 백성들은 일본의 침략으로 인해 일본의 왕을 중심으로 하는 내선일체 하에 놓이게 되었다. 그 후 소련을 등에 업고 김일성이 들어오면서 북한 주민들의 숙원사업을 해결해주니 북한에서는 김일성이 사실상의 왕이 된다. 따라서 북한에서 살던 주민들 입장에서 보면 조선조의 왕조가 일본의 왕으로 변하고 다시 김일성이 왕이 되는 세상으로 변한 것으로 생각할 수 있는 것이다. 즉, 조선시대부터 왕조 체제가 지속하는 것이라고 생각할 수 있을 것이다. 조선시대에도 왕조였으며 일제 강점기에도 일왕이 존재했다고 생각했기 때문에 김일성 시대를 거치면서 그들의 지배자인 '왕(王)'만 바뀐 것일 뿐이라고 생각할 수도 있다는 것이다. 따라서 조선시대부터 이어져 온 유교적 관념을 바탕으로 생활해 오던 북한 주민들로서는 백성이 왕을 비판한다는 것은 생각하지도 못하는 것이다. 북한에서 김일성은 왕으로서의 권력을 누릴 수 있었고 그 후손들에 의한 세습체제가 인정될 수 있었다. 따라서 북한 주민들은 김일성 사후 김정일, 김정은으로 이어지는 것이 당연한 것으로 여겨졌을 것이다..

또한 배우지 못한 한은 의무교육을 통해 해결한다(김수민, 1999, p.33). 북한에서 토지개혁을 실시하면서 북조선임시위원회는 곧바로 교육개혁에 착수했다. 김일성은 1946년 3월1일 3.1운동 27주년 기념식에서 6개 항의 당면과업을 제시하는 가운데 제4항에서 교육개혁을 제시했다. 또한 1946년 3월 23일에 발표한 20개조 정강 중에 제16항에서 교육개혁을 제시했는데, 기본 방향은 일제가 행했던 식민지 교육의 청산과 진보적 민주주의 건설을 위한 인재양성이었다 (김학준, 2018, p.352).

1946년 4월 평양 광성 인민학교 강당에서 북조선인민교원직업동맹을 결성하기 위한 대회가 열렸다. 이때 스탈린과 김일성이 명예위원장으로 추대되었으며, 김일성은 8·15해방이 교육의 해방이라고 하며 "하루바삐 낡은 교양체계를 청산하고 진보적 민주주의 원칙 위에서 새교육, 새교양 체계를 창건하자"고 주장한다. 이 대회의 교육자 당면과업에 대한 주제 토론에서 교육건설을 위한 새로운 모델을 어떻게 정할 것인가에 대해 논의하였고, 북한은 소련을 교육의 모델로 삼기로 결정한다. 그들은 소련 교육가들과 밀접하게 연락하고 소련 교육가들의 진보적 새교육 원리를 체득하여 우리 민족의 참된 문화를 창조하기로 결론을 내린다(김학준, 2018, pp.352-355). 이와 같은 과정을 거치면서 구소련의 교육제도가 북한에서 정착하게 된다.

일제의 식민지배가 종식되고 해방이 되었을 때 국민의 약 86%가 교육을 받지 못했다. 이러한 과제는 전 국민을 대상으로 한 의무교육제의 시행과 230만 북한 성인들의 문맹을 해결해야 하는 것이었다. 북한 지도부는 근로대중의 자녀들을 교육 제도권으로 흡수하기 위한 새로운 교육제도와 방안을 강구하는데 주력했다. 이를 위한 기본적인 조치가 초등의무교육제도이다(신효숙, 2003, p.135). 의무교육제 실시는 해방 후 교육개혁의 기본방향으로 채택되었다. 해방 후 교육기회의 확대와 분배 정책은 식민지시기에 억압되었던 주민들의 교육 욕구를 조직화함으로써 국가 건설에 이들을 자발적으로 동원해 내는 기제로 활용되었다(이향규 외, 2010, p.220).

북한의 의무교육은 남한보다 일찍 시작하였으며 북한의 체제 선전용으로 자주 활용되었다. 사실상 그때까지만 해도 남한보다는 북한

이 경제적으로 우세했다고 볼 수 있다. 따라서 북한으로서는 체제 우월성을 선전하려고 하였으며 그 중 하나로 의무교육을 본보기로 삼았다. 북한의 교육은 사회주의 교육에 기반을 두고 있으며, 사회주의 교육은 마르크스 공산주의 이론에 그 뿌리를 두고 있다. 사회주의 교육은 구소련에서 스탈린과 레닌에 의해 실천되었고, 중국에서는 모택동에 의해 실천되고, 북한에서는 김일성의 교육원리로 작용하였다. 대부분 공산주의 국가에서 의무교육이 시행되는 것과 같이 북한에서도 이루어졌다.

김일성은 의무교육을 1949년 초등의무교육제부터 시작하려고 하였으나 6.25전쟁으로 인해 전쟁이 끝난 후에 시작되었다. 해방을 맞이하고 전쟁이 이어지면서 교육을 받지 못한 성인들도 있었기 때문에 북한 김일성은 성인들의 문맹을 깨치려고 사회교육제도를 만들었다. 이러한 다양한 교육에 대해서 모든 것이 무상으로 진행되었기 때문에 북한 주민들에게는 매우 고마운 일이며 북한 주민들의 지지를 받을 수 있었다(이향규 외, 2010, pp.222-223).[6] 북한에서 의무교육은 매년 학생들에게 새로운 교복과 교과서는 물론 학용품까지 제공하는 일체 무상교육이기 때문에 더욱 주민들의 환영을 받을 수 있었다. 그러나 이러한 의무교육이나 성인교육은 공산주의 사상의 주입으로 이어졌고 그들의 교육목적인 혁명인재 육성이라는 측면을

---

6) 탈북자 구술 부분 재인용: 거의 모든 탈북자들이 북한 사회의 장점으로 무상교육과 무상의료제도를 꼽고 있다.

달성하기 위한 하나의 전술이었다.

전 세계의 대부분 국가에서 의무교육제도를 시행하고 있으며, 대부분 6세~16세까지가 가장 많다.[7] 의무교육제도는 국민들이 기본적인 교육을 무료로 받는 것으로 다음 세대에게 국가의 이념을 교육하고 국가가 지향하는 인재육성을 한다. 그러나 재정이 투입되는 부분이기 때문에 국가의 재정이 허용하는 범위 내에서 이루어진다.

<표 3> 북한 의무교육제도 변화

시기	연도(년)	의무교육 내용
1차	1950	▸ 5년제 초등의무교육을 실시하려고 하였으나 6.25 전쟁으로 중단 ▸ 전반적 초등의무교육제 실시에 관한 법령 채택(1949. 9.10.) ▸ 인민학교(5년제, 의무교육), 초급중학교(3년제), 고급중학교(3년제), 기술전문학교(3년제), 대학(4년제)의 5-3-3-4제 운영
2차	1956	▸ 4년제 초등의무교육 실시(인민학교 교육 연한을 5년에서 4년으로 단축) ▸ 일부 대학에서 2년제 예비과를 신설하여 전쟁으로 인한 피해자들의 대학 진학을 가능하게 조치 ▸ 전쟁 후의 복구를 위해 '일하면서 배우는 학교체제' 구축를 하고 근로자 중학교를 설치하여 성인에게 교육기회 확대
3차	1958	▸ 전반적 7년제 중등 의무교육 실시(인민교육 4년과 중학교 3년) ▸ 김일성 유일체제 강화 ▸ 1960년 9월 1일자로 새로운 교육체제 운영 ▸ 예체능교육과 혁명유자녀 학원 등은 11년제 의무, 특

---

7) 위키백과사전 (http://bitly.kr/kNbrug15Sg)(검색일: 2020/6/25)

시기	연도(년)	의무교육 내용
		수교육체제로 운영
4차	1967	▶ 전반적 9년제 기술의무교육 실시(인민교육 4년과 중학교 5년) ▶ 중학교(3년제)와 기술학교(2년제)를 통합하여 5년제 중학교 로 개편하고, 이와 연계한 고등학교(2년제)를 신설. 따라서 인민학교(4년제)를 시작으로 4-5-2-4제로 운영 ▶ 중등일반교육과 기초기술교육 병행, 교육과 생산을 결합
5차	1972	▶ 전반적 11년제 의무교육 실시(유치원 1년(만5세 입학)과 소학교 4년 그리고 중학교 6년) ▶ 1975년 11년제 무상의무교육 전면적 실시 ▶ 중학교(5년제)와 고등학교(2년제)를 통합하여 6년제 고등중학교로 개편하고 중등반 4년, 고등반 2년으로 편성 ▶ 3년~4년제 고등기술학교를 3년제 고등기술전문학교로 개편 ▶ 대학은 인문계는 4년, 이공계는 5~6년으로 연장 ▶ 1972년 9월 중학교를 고등중학교로 명칭 변경 ▶ 2002년 인민학교를 소학교로, 고등중학교를 다시 중학교로 명칭 변경
6차	2012년 이후	▶ 전반적 12년제 의무교육(유치원 높은반 1년과 소학교 5년과 초급중학교 3년과 고급중학교 3년) ▶ 2017년 12년제 무상의무교육 전면적 실시 ▶ 소학교의 교육 연한을 4년에서 5년으로 개편 ▶ 고등중학교(6년제)를 초급중학교(3년제)와 고급중학교(3년제)로 개편 운영

　　표 3>은 북한에서 행해진 의무교육제도 중 의미 있는 사실을 중심으로 시기별로 정리한 것이다. 1945년 일제치하에서 벗어날 당시 식민지 조선의 취학률은 초등학교 연령 학생의 절반이 학교에 다니는 정도에 불과했다. 북한의 경우에도 해방 후 불과 10년 만에 초등

무상의무교육제를 실시하였고, 연이어 중등교육 단계로 확대되어 1970년대 중반에 이르러 아시아에서 최초로 11년제 무상의무교육제를 선포하게 된다(이향규 외, 2010, pp.97-98).

북한 사회주의 교육학의 목적과 기본원리는 '사회주의 교육에 관한 테제'(1977)에서 명시하고 있는데 그것은 공산주의적 인간 육성과 혁명화 및 이상적인 사회주의 건설을 위하여 교육을 강조하고 있다. 즉, 사회주의 교육을 통하여 사상혁명 문화혁명 기술혁명을 이룩함으로써 공산주의 사회를 이룩한다는 것이다.(이정규, 2002, p.19) 북한에서 육성해야 하는 인재상을 조선민주주의인민공화국 사회주의 헌법(2019.8.29.)에서는 다음과 같이 서술하고 있다.

제43조 국가는 사회주의교육학의 원리를 구현하여 후대들을 사회와 집단, 조국과 인민을 위하여 투쟁하는 참다운 애국자로, 지덕체를 갖춘 사회주의건설의 역군으로 키운다.

따라서 북한 교육의 목표는 제43조에서와 같이 지덕체를 갖춘 사회주의 건설의 역군 육성이다. 북한에서 말하는 지덕체를 갖춘 사회주의 건설의 역군이란 '김일성-김정일 주의로 철저히 무장되어 있으며, 개인의 이익보다는 사회적 집단의 이익을 중요하게 생각하는 사람으로 대중 동원 및 사회노동에 적극적으로 참여하는 인간'을 말한다. 또한 고급중학교 2학년 '위대한 수령 김일성 대원수님 혁명력사'에서 다음과 같이 서술하고 있다(최동철 외, 2014, p.75).

위대한 수령 김일성대원수님께서는 다음과 같이 교시하시였다.

《사회주의교육학의 기본원리는 사람들을 혁명화, 로동 계급화, 공산주의화 하는 것이다. 다시말하여 사람들을 공산주의혁명사상으로 무장시키며 그에 기초하여 깊은 과학지식과 건장한 체력을 가지도록 하는 것이다.》

자주성과 창조성을 가진 혁명 인재는 무엇보다 수령의 혁명사상으로 튼튼하게 무장된 사람이며 추가로 전문적인 과학 지식과 건장한 체력이 갖추어져야 전면적으로 발전된 혁명 인재, 당과 수령의 참된 혁명 전사가 될 수 있다는 것이다.

3. 북한에서 구소련식 학제 도입

북한은 공산당이 정책적으로 학교교육을 관장해 왔으며, 근본적인 교육이념은 사회주의 교육이론에 바탕을 두고 있다. 해방과 더불어 구소련의 교육학을 도입하였기 때문에 교과목도 공산권 다른 나라와 비슷했다. 사회주의 교육은 근본적으로 맑스와 레닌에 의해 형성되었으며 이것은 자본주의 교육의 모순을 근본적으로 해결하기 위해 만들어진 것이다(김형찬, 1990, p.20).

북한 사회주의 교육의 특징은 첫째, 교육의 정치적 중립을 요구하지 않는다. 북한은 교육활동에서 정치사상 교육을 중요한 부분으로 간주하고 있어 북한의 학교교육에서 시대에 따라 맑스-레닌주의나 주체사상 교육이 많은 비중을 차지하여 왔다. 그러므로 북한 교육에서 정치사상 교육은 북한 사회와 주민들을 이해하는데 중요한 실마리로 여겨질 수밖에 없는 것이었다.

둘째 교육과 생산 노동의 결합이다. 이것은 사회주의 교육의 주요한 특징인 종합기술교육과 깊은 관련이 있는 것인데, 사회주의 인간형성의 주요한 방도이다. 그런데 북한의 보통교육에서 교육과 생산 노동의 결합을 어떤 수준에서 어떻게 실행할 것인가에 대해서는 시대별로 편차가 존재하였으며, 일정한 형식으로 정착하기까지는 시행상의 오류도 있었다. 북한에서는 이러한 이유로 기술의무교육이 등장하지만 북한의 경제 사정상 학생들이 충분한 실습을 할 수 있는 여건을 만들지 못한 점, 북한 주민들의 의사와 충돌한 점, 시급한 기술 인력 확보를 위한 근시안적인 계획이었기에 노동활동과 교육활동을 적절히 결합하지 못한 점 등으로 지속되지 못하고 폐지된다(이향규 외, 2010, pp.139-168).

북한 교육은 주체사상에 기초하여 교육의 이론과 실천적 문제를 규명하는 것이라고 볼 수 있다. 따라서 북한에서 행해지는 모든 교육의 최종 목표는 '사회주의 혁명적 인간 육성'이다. 북한의 소학교 및 초급중학교와 고급중학교에서 사용되는 교과서에서도 구소련의 체제가 반영되어 있다.

Part 2

김일성시기 교육정책 및 교육과정

남한에서 1948년 8월 15일 정부 수립을 선포하자마자 북한은 같은 해 9월 9일 북한 정부 수립을 선포한다. 남한의 정부 수립과 동시에 북한의 정부가 수립된 점을 미루어 볼 때 이전에 모든 준비를 마치고 준비하고 있었다는 것을 짐작하게 한다. 또한 북한 정권은 교육 부분에서도 많은 부분을 사전에 준비한 것으로 여겨진다. 그러나 실제로 학교에서 사상의 통일을 위한 국가주도형 교육체계 구축의 교육과정(교수요강)을 마련하고 교과서를 구비하는 데 어려움이 있었다.

북한의 학교는 교과서가 필요했으며 이것은 1946년 소련주둔 군사령부와 민정관리총국에 의해 제기되었다. 민정관리총국의 교육담당자는 소련 본국에 북조선의 교과서 편찬을 위한 자문단 파견과 소련의 교과서를 보내 줄 것, 그리고 교과서 제작에 필요한 용지를 지원해 줄 것을 요청했다. 그 결과 소련에서 자문단이 파견되어 도움을 주었으며 1946년 5월 12일 북조선임시인민위원회는 「교과서 편찬인쇄에 관한 결정서」를 채택하였다(김학준, 2018, pp.359-360). 교과서 편찬은 학생들 학습용 교재를 구비한다는 것을 넘어서 학교에서 가르칠 교육 내용의 심의와 통제를 통한 정치 이데올로기를 갖춘다는 의미를 내포하고 있었다.

북한은 국가의 흥망성쇠가 인민교육에 있고 진정한 인민교육은 우수한 교과서에 의해서 가능하다고 생각하기 때문에 교과서의 구비가 필요했다. 그렇기 때문에 학교교육의 생명인 교과서 편찬은 교육에 있어서 무엇보다도 근본적이고 가장 중대한 국가적 사업이다. 교수요강과 교과서의 부재는 학교에서 교육을 할때 직면한 어려움이었다. 일부 학교에서는 일제강점기의 교과서를 사용하거나 몇몇 과목은 교사가 자체적으로 만든 교재를 사용하였다.

1945년 북조선 5도 행정국에 교육국이 설치되면서 각 지역단위의 교육활동을 중앙 차원에서 통일적으로 수행하기 위한 노력이 시도되었다. '북조선 학교교육임시조치요강'을 발표하여 학교사업 조직의 기본방향을 제시하고 임시적이기는 하지만 새로운 교육과정과 교수요강의 원칙을 발표했다. 또한 교육국 내에 '교과서 편찬부'를 설치하고 교과서 편찬 작업에 착수했다. 교과서 편찬 활동은 1946년 초부터 활발히 이루어져, 1946년에 이용할 114개 과목에 해당하는 183종의 교과서를 집필하기 위하여 200여 명의 집필진과 방조자 500명으로 구성된 집필진을 구성하였다. 당시 교과서 편찬 작업의 의미와 중요성은 제1차 교과서 편찬을 지도했던 교육국 편집부장 신원우의 글에 명확히 제시되어 있다(신효숙, 2003, pp.193-195).

1946년 2월에 수립된 북조선임시인민위원회는 11개 조의 당면 과업을 제시한 결정서를 채택하게 되는데 그 중 교육과 관련된 사항은 ⑧ 인민교육제도의 민주주의적 개혁 ⑨ 민주주의적 인민 교양이었다. 1946년 3월 북조선임시인위 위원장인 김일성은 〈20개 정강〉을 발표하였으며 그중 교육에 관련된 것은 ⑱ 인재양성을 위한 특별학교 설치 등이었다.(김수민, 1999, p.21) 김일성이 발표한 20개 정강 중에서 교육에 관한 항목이 삽입된 것은 '북한 주민의 교육열을 이용하여 북한 주민들에게 사회주의 이념을 주입' 하는 것은 물론이고 '정통성이 결여된 김일성 정권의 입지'를 확고히 하고자 하는 것에 있다고 분석된다.

1946년 3월 북조선임시인민위원회에서 '학교사업개선책에 관한 결정서'를 채택하였다. 이것은 북한에서 교육 정책의 기본 방향을 설정하는 중요한 것이었는데, 기본 방향은 공산주의 체제를 구축하는 사상교육을 하고 전반적 의무교육제를 실시한다는 것이었다. 이 때 북한에서 가장 중요하게 생각한 것은 일본의 교육제도에서 탈피하는 것과 구소련의 교육제도를 도입하고 그것을 모방하는 것이었다. 그래서 북한은 6.25전쟁 이전에 인민학교(5년, 의무교육), 초급중학교(3년), 고급중학교(3년), 기술전문학교(3년), 대학(4년)을 근간으로 하는 교육제도를 만들어 시행하려고 하였으나 전쟁으로 시행하지는 못했다.

이후 북한은 일본 제국주의 흔적을 없애기 위해 초등학교 명칭을 인민학교로 변경하였고, 조선어와 역사과목을 강조하면서 학제 개편 등 교육과정에 변화를 시도한다. 1946년 7월 8일 북조선임시인민위원회는 「북조선종합대학창립건」을 채택하고, 1946년 9월 1일에 북조선종합대학(김일성대학)을 설립하고 2년제 교원대학(사범전문)을 평양시와 청진시에 각각 1개교씩 설립하였다. 또한 「전문학교(중등기술전문학교) 설립에 관한 건」을 발표하면서 4년제 전문학교(중등기술전문학교)를 실업학교의 기초로 하여 설립하였다(김학준, 2018, pp.356-358).

1954년 북한은 인민학교 교육 연한을 5년에서 4년으로 단축하였다. 일부 대학에서 2년제 예비과를 신설하여 전쟁으로 인해 정상적으로 중등교육을 이수하지 못한 사람들에게도 대학으로 진학 기회를 마련하였으며, 고급중학교에 해당하는 3년제 근로학원을 새롭게 만드는 등 다양한 조치를 취하였다. 1958년 의무교육 연한을 3년제 초급중학교 교육까지 연장하여 7년제 의무교육을 단행하였고, 1959년부터 수업료를 폐지하였다. 또한 기술 의무교육제 실시 준비를 하도록 한 내각결정과 근로자들의 지식, 기술 수준을 향상할 것을 촉구한 내각결정을 발표한 이후 근로자 중학교를 농촌과 주요 직장에 설치하고 기존의 성인학교를 근로자 학교로 개편하는 한편 통신 교육을 강화하였다(김형찬, 1990, p.119). 다음 자료는 1949년 중등교육에서 학습하는 교과목 등을 정리한 것이다.

<표 4> 1949년 중학교 교육과정

교과목	초급중학교			고급중학교			시간 수	비중 (%)
	1학년	2학년	3학년	1학년	2학년	3학년		
헌법			2				70	0.9
국문문학	7 국문	6 국문	5 국문	4 문학	5 문학	5 문학	1,120	15.1
조선역사	3	2			1	2	280	3.8
세계역사	2 고대사	3/2 고대사, 중세사	3 중세사	4 근세사	2 근세사	2 근세사	541	7.3
지리	3자연지리	3세계지리	2조선지리	3 조선 경제지리	4 세계 경제지리	-	525	7.2
수학	7	6	6	6	6	6	1,259	17.0
천문						1	35	0.5

교과목	초급중학교			고급중학교			시간수	비중(%)
	1학년	2학년	3학년	1학년	2학년	3학년		
생물	3 식물	3 동물	2생유생	2 진화론			350	4.7
광물					2		70	0.9
물리		2/3	3/4	3	3	4	563	7.6
화학			3/2	3	3	4	436	5.9
논리학						1	35	0.5
외국어	5	5	5	6	6	6	1,215	16.4
음악	1	1	1				105	1.4
도화 및 용기화	1 도화	1 도화	1 도화	1 용기화	1 용기화	1용기화	210	2.8
공작	1(남자)	1(남자)					70	0.9
체육	2	2	2	1	1	2	315	4.3
실습				2	2	2	210	2.8
계							7,409	100

※ 출처: <해방 후 10년간의 공화국민교육의 발전>(평양: 교육도서출판사, 1955), p.57(김형찬, 1990. p.259 재인용)

　<표 4>의 자료를 바탕으로 <표 5>와 같이 1949년 중학교 교과목을 분류하였다. 인문 분야의 과목이 자연 분야의 과목보다 수업 시간이 많은 특징을 보이며 정치사상 분야의 교과목은 전혀 없다.

<표 5> 1949년 중학교 과목 분야별 교과목

과목 군	과목수	교과목 명	시간 수	비중(%)
정치사상분야	0과목		0	0.0
인문 분야	7과목	헌법, 국문문학, 조선력사, 세계력사. 지리, 논리학, 외국어	3,786	51.1
자연 분야	8과목	천문, 수학, 광물, 생물, 물리, 화학, 공작, 실습	2,993	40.4
예체능 분야	3과목	음악, 도화 및 용기화, 체육	630	8.5

일반적으로 북한의 교육은 정권 수립 초기부터 정치사상 교육이 많으며 김일성 개인이나 그 일가의 우상화 교육 부분이 있을 것으로 추측하지만 북한의 초기 학교 교육에서는 정치사상이나 김일성 일가에 대한 우상화 교과목은 없었다.

이 시기의 북한 중등학교(초등중학교와 고등중학교) 교육과정은 <표 4>에서와 같이 6년간 7,409시간의 수업이 이루어지며, 국문 문학, 수학, 외국어(러시아어)의 수업 시간이 다른 과목의 수업 시간보다 많다는 것을 알 수 있다. 국문 문학(1,120시간)과 수학(1,259시간), 외국어(1,125시간)의 수업 시간을 모두 합치면 3,504시간으로 전체 시간인 7,409시간의 47.3%가 된다. 따라서 전체 수업 시간 수의 절반을 국어, 수학, 외국어 등에 배정하였다는 것을 알 수 있다. 즉, 1949년 중등학교에서 학습하는 교과목의 특징은 정치사상적 교과나 우상화 관련 교과목은 없고 국어, 수학, 외국어(러시아어)가 전체 수업 시간의 절반을 차지하며 국어, 수학, 외국어(러시아어) 중심의 교육이 이루어진다고 볼 수 있다.

해방 후 교육업무를 담당하는 중앙행정기구는 1945년 10월 13일 북조선 5도 교육국이 조직되면서 만들어졌다. 교육국은 11월 21일 '북조선학교교육 임시조직 요강'을 발표하며 전국적으로 통일된 교육과정을 공표하였다. 주요 내용은 '일본어', '일본사', '일본지리' 등의 교과를 '조선어', '조선역사', '조선지리'로 바꾸고 실업과목과 체육과목을 축소하는 한편 과학 등 일반교과의 시수를 늘린다는 것이었다(이향규 외, 2010, pp.65-66). 이러한 과정에서 알 수 있듯이 북한의 초기 교육과정에는 우상화교육이나 공산주의 이념에 대한 교과목은 없었는데 그 이유는 북한 학교 교육이 구소련 교육학에 바탕을 두고 있기 때문이었다.

1948년 김일성은 북한에 정권을 수립함과 동시에 학교 교육 제도와 목표, 그리고 내용과 방법론에 이르기까지 소련의 학교 교육론을 그대로 도입하였다. 그 후 김일성이 항일 무장투쟁 과정에서 성립된 혁명전통사상을 통치 이데올로기로 학교 교육의 내용에 정착시켰다. 이러한 교육관과 교육 실천은 그가 창안했다는 주체사상이 구체화되기 시작한 1970년대까지 이어져 왔다(김형찬, 1990, p.15).

북한 학교 교육에서 근간은 주체사상 교양 교육이며, 학교에서의 교육은 주체사상 교양 교육을 위한 가장 효율적인 수단이 되고 있다. 주체사상은 1955년 12월에 김일성의 '사상사업에서 교조주의와 형식주의를 퇴치하고 주체를 확립할 데 대하여'라는 연설을 계기로 스탈린주의와 민족주의적 요소가 결합한 형태로 시작되었다. 또한 북한 체제에서 오랜 기간 유지되어 왔으며 북한만의 독특한 체제에서 형성된 유일사상이다. 북한은 이러한 주체사상을 북한 주민에게 교육시키기 위해 '사회주의 교육에 관한 테제'를 만들고 학교교육을 통해 주체사상 교양 교육을 주입시키고 있다(엄인영, 2019, pp.179-181).

한반도 북쪽에 소련의 적극적인 지원으로 정권을 수립한 김일성은 당시 소련의 지도자 스탈린으로부터 정치, 경제, 문화, 교육 등 모든 분야에 걸쳐 형식과 내용을 그대로 모방하여 새로운 국가 건설을 시도했다. 따라서 교육제도로부터 목표(이념), 교과과정, 교육 행정 체계, 교육 방법론에 이르기까지 소련의 기존 이론과 방법론을 그대로 도입하였다(김형찬, 1990, p.20).

따라서 김일성시기의 중등교육은 1946년 북조선임시인민위원회 명의로 발표된 '결정 제133호[8]'에 의해 두 가지 종류의 중등학교를 설치하였다. 하나는 일반 중등 교육 체제이며 이 체제 내에 초등중학교(3년)와 고등중학교(3년)로 이어지는 것과 다른 하나는 기술교

---

8) 내각결정 제 133호는 1946년 12월 18일 발표된 것으로 이 법령은 1947년 6월 28일 일부 개정되었으나 6.25전쟁 때까지 북한 교육제도의 법적 기반이었다.

육체제로서 초등기술학교와 전문고등학교로 구분하였다. 초등 기술학교는 3년제였으며, 전문고등학교는 초등중학교나 초등기술학교를 졸업한 사람들을 수용하고 분야에 따라서 수업기간이 3년~4년이다.

그 후 1956년부터 준비하여 1958년을 적용한 교육과정에서는 인민학교의 교육 연한을 5년에서 4년으로 변경하였다. 이렇게 교육체제가 변경된 이유는 6.25전쟁 후 파괴된 경제와 산업 복구에 그 배경이 있다. 북한 당국은 6.25전쟁으로 많은 시설이 파괴되자 그것을 복구할 기술자 및 숙련공이 필요했다. 따라서 북한은 중등교육을 받은 학생들이 졸업 후 공장과 농촌에 가서 일할 수 있도록 교육시키는데 중점을 두었다. 이러한 교육목적을 달성하기 위해 북한은 '내각결정 제111호[9]'를 선포하여 북한의 초등교육 제도를 변경하였다. 이 내각결정 제111호의 주요 골자는 인민학교 교육 연한을 5년에서 4년으로 단축하면서 자연스럽게 의무교육도 5년에서 4년으로 변경하고, 전문고등학교 수업연한을 3년에서 3~4년으로 확대 적용한 것이다. 전문고등학교의 수업연한을 6개월에서 1년 정도로 연장한 것은 학생이 전문분야에 더욱 정진할 수 있도록 하기 위한 것이다. 그리고 이 결정에서 성인교육 및 통신교육제도를 변경하지 않았으며, 초등중학교와 고등중학교의 수업연한도 변화가 없었다. 다음은 1954년 초등중학교, 고등중학교의 학습 교과목 자료이다.

---

[9] 1954년 7월 11일 발표하여 북한의 초등교육인 인민학교에 중요한 변화를 가져왔다.

<표 6> 1954년 초등중학교 교과목 및 수업 시간

교과목 명	1학년 상반기 20주	1학년 하반기 13주	2학년 상반기 20주	2학년 하반기 13주	3학년 상반기 20주	3학년 하반기 13주	시간 수	비중(%)
조선어	3	3	3	2	2	2	251	7.9
문학	6	6	3	4	3	3	409	12.8
한문	1	1	2	2	1	2	125	3.9
노어	4	4	4	4	4	4	396	12.4
산수	7	7	2	2			297	9.3
대수			3	3	4	3	218	6.8
기하			2	2	2	3	145	4.5
물리			2	2	3	3	145	4.5
화학					3	2	86	2.7
식물	2	2	3				126	4.0
동물				3	2	2	105	3.4
조선역사	1	1	2	1	2	1	139	4.4
세계역사	2	2	2	2		2	138	4.3
자연지리	3	3					99	3.1
세계지리			3	3			99	3.1
조선지리					2	2	66	2.1
체육	2	2	2	2	1	2	178	5.6
도화	1	1	1	1			66	2.1
제도					1	1	33	1.0
음악	1	1	1	1			66	2.1
계							3,187	100

※ 출처: <해방후 10년간의 공화국인민교육의 발전>, 평양, 교육
도서출판사, 1955, p.209.(김형찬, 1990. p.262.에서 재인
용.)

<표 6>을 살펴보면 1954년 교육과정에서 학생들은 초등중학교 3
년간 총 3,187시간의 수업을 이수해야 한다. 이 시기에 국어 교과

(조선어, 문학)는 660시간, 수학교과(산수, 대수, 기하)는 660시간, 노어는 396시간이 배정되어 있으며 이 세 교과의 시간을 모두 합치면 1,716시간으로 전체 3,187시간 중 53.8%로 절반 이상을 차지한다. 그 외에 역사교과(조선역사, 세계역사) 277시간과 지리교과(자연지리, 세계지리, 조선지리, 세계정제지리, 조선경제지리) 264시간으로 역사와 지리 교과가 모두 541시간 배정되어 있다. 이것은 전체 3,187시간 중 17.0%로 사회 교과에 대한 수업 시간 배정이 많았다. 결국 국어, 수학, 외국어, 사회(역사, 지리)교과만을 고려하면 총 2,257시간으로 전체 수업 시간 수인 3,187시간의 약 70.8%로 이들 교과가 대부분을 차지한다. 즉, 국어, 수학, 외국어, 사회 교과에 치중하고 있다고 볼 수 있다. 반면에 과학 교과인 물리(145시간), 화학(86시간), 식물(126시간), 동물(105시간)의 시간은 모두 462시간으로 약 14.5%이다. 1954년 교육과정에서 과학 교과 비중이 낮은 것으로 보아 과학 교과를 중요하게 생각하지 않았다고 분석된다.

<표 7> 1954년 고등중학교 교과목 및 수업 시간

교과목 명	1학년		2학년		3학년		총 시간수	비중 (%)
	상반기 20주	하반기 13주	상반기 20주	하반기 13주	상반기 20주	하반기 13주		
조선어	1	1	1	1	1	1	99	3.2
문학	3	3	4	4	4	4	363	11.7
한문	2	2	2	2	2	2	198	6.4
노어	4	4	4	5	4	4	409	13.1
대수	4	3	2	2	2	2	251	8.0

교과목 명	1학년		2학년		3학년		총 시간수	비중 (%)
	상반기 20주	하반기 13주	상반기 20주	하반기 13주	상반기 20주	하반기 13주		
기하	2	3	2	1	3	2	204	6.5
삼각			2	1	3	2	139	4.4
물리	3	3	2	2	5	4	317	10.1
천문학					1	1	33	1.1
인체해부생리학	2	2					66	2.1
다윈주의 기본			2	2			6	0.2
조선역사	1	1	2	1	2	2	152	4.9
세계역사	2	2	2	2	2	2	198	6.4
세계경제지리	3	3					99	3.2
조선경제지리			3	2			86	2.8
체육	2	2	2	2	2	2	198	6.4
제도	1	1	1	1	1	1	99	3.2
실습	2	2	2	2	2	2	198	6.3
계							3,115	100

※ 출처: <해방후 10년간의 공화국인민교육의 발전>, 평양, 교육
　　도서출판사, 1955, 209. 김형찬, 『북한의 교육』, 을유문
　　화사, 1990. p.263.에서 재인용.

<표 7>에서 보듯이 이 시기의 북한 고등중학교 학생들은 3년간 총 3,115시간의 수업을 이수해야 한다. 국어 교과(조선어, 문학)는 462시간, 수학 교과(산수, 대수, 기하)는 594시간, 노어는 409시간이 배정되어 있으며 이 세 교과의 시간은 1,465시간으로 전체 3,115시간 중 47.0%이다. 그 외에 역사교과(조선역사, 세계역사) 350시간이고 지리교과(세계경제지리, 조선경제지리) 185시간이며 모두 535시간 배정되어 있다. 역사와 지리 등 사회 교과의 수업 시간 수는 535

시간으로 전체 3,115시간 중 17.2%이다. 결국 국어, 수학, 외국어, 사회 교과가 차지하는 비중이 전체 3,115시간 중 2,000시간으로 64.2%이며 절반 이상의 시간이 이들 분야에 배정되어 있어 초등중학교의 교육과정과 큰 차이를 보이지 않는다. 따라서 1954년 초등 및 고등중학교에서는 국어, 수학, 외국어, 사회 교과의 비중이 높으며 과학교과에 대한 비중은 낮다는 것을 알 수 있다. 특히 정치사상 분야 과목은 없다.

<표 8> 1954년 초등중학교 분야별 교과목

과목 군	과목수	교과목 명	시간수	비중(%)
정치사상 분야	0			
인문 분야	9	조선어, 문학, 한문, 노어, 조선력사, 세계력사. 자연지리, 세계지리, 조선지리	1,722	54.0
자연 분야	8	산수, 대수, 기하, 물리, 화학, 식물, 동물, 제도	1,294	36.2
예·체능 분야	3	체육, 도화, 음악	310	9.7

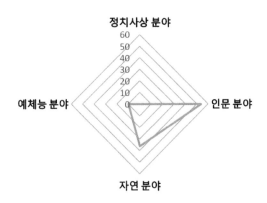

[그림 1] 1954년 초등중학교 분야별 수업 시간 비중(%)

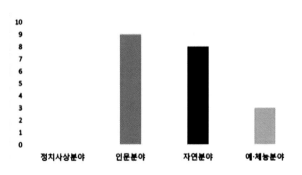

[그림 2] 1954년 초등중학교 분야별 교과목 수

<표 8>의 1954년 북한 초등중학교 교육과정에서 가장 큰 특징은 정치사상 분야의 교과목이 없다는 것이다. 이는 북한이 구소련의 교육과정을 도입했기 때문으로 분석되며, 북한 정권이 수립된 후에 정치사상 분야의 교육을 하지 않았다는 것을 알 수 있다. 또한 1954

년 초등중학교에서는 인문 분야에 대한 수업이 전체 수업시수 중 54.0%로 가장 많은 비중을 차지하고 있으며 상대적으로 자연 분야의 수업시수는 36.2%로 적다. 이것은 김정은시기와 비교해 볼 때 많은 차이를 보인다. 김정은시기에는 자연 분야의 수업 시간 비중이 인문 분야보다 많은 부분을 차지한다.

<표 9> 1954년 고등중학교 분야별 교과목

과목 군	과목수	교과목 명	시간 수	비중(%)
정치사상분야	0			
인문 분야	8	조선어, 문학, 한문, 노어, 조선력사, 세계력사. 세계경제지리, 조선경제지리	1,604	51.5
자연 분야	9	대수, 기하, 삼각, 물리, 천문학, 인체해부생리학, 다윈주의 기본, 제도, 실습	1,313	42.1
예·체능 분야	1	체육	198	6.4

[그림 3] 1954년 고등중학교 분야별 수업 시간 비중(%)

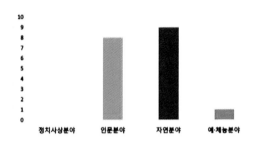

[그림 4] 1954년 고등중학교 분야별 교과목 수

<표 9>의 1954년 북한 고등중학교 교육과정에서 나타나는 가장 큰 특징은 초등중학교와 같이 정치사상 분야의 교과목이 없으며, 정치사상 교육을 하지 않았다는 것을 의미한다. 또한 1954년 고등중학교에서는 인문 분야에 대한 수업이 전체 수업 시간 수 중 51.5%로 가장 많은 비중을 차지하고 있으며 자연 분야의 수업 시간 수는 42.1%이다. 이는 초등중학교의 자연 분야 수업 시간 수보다 많은 비중을 차지하고 있다는 것을 알 수 있다. 1949년과 1954년의 교육과정을 비교해 볼 때 몇 가지 변화가 나타난다. 헌법과목이 사라진 점이 가장 특이한 사항이며, 외국어를 노어로 표시한 점, 수학을 산수, 대수, 기하 등으로 구분하여 가르친다는 점이다. 또한 국어, 수학, 외국어 교과의 수업 시간 비중은 여전히 높다.

공산권 국가나 북한에서 학습하는 지리교과는 우리가 공부해 왔던 지리교과의 범주와는 다르다. 지리교과에는 지구의 모든 현상인 지질, 지형, 기상, 천문, 환경, 수문, 교통, 통신, 경제 등 인간의 행동에 영향을 주거나 인간의 행동에서 나온 결과물 모두를 포함하는 종합적인 내용을 포함한다. 김일성시기까지는 지리교과에 대한 비중이 높았으며 교과목명도 다양하였다. 이러한 현상은 국가나 최고지도자의 의지라기보다는 구소련의 교육과정을 차용하다 보니 이러한 현상이 발생한 것이라고 분석된다.

김일성시기 교육과정의 특징은 무상 의무교육을 중등학교까지 확대하여 안정적으로 운영하였다는 점이다. 문맹률을 낮추기 위해 성인교육까지 실시하는 등 여러 분야에서 교육 기회를 확대하였고, 주체사상과 세습체제를 위해서 교육과정도 수정하여 세습체제와 우상화의 기반을 마련하였다. 그러나 1990년대에 국내외적으로 어려움을 겪으면서 북한은 이를 타개하기 위한 방법으로 실리주의를 내세웠다. 북한의 경제는 1970년대부터 점차 나빠지기 시작하여 점차 심해졌다. 그래서 과학 및 IT 등 기술 분야의 인재를 육성하여 이를 통해 경제적 어려움을 해소하려고 하였다(조정아, 2004, pp.63-65). 다음은 1983년 북한 중등학교 교과목 및 수업 시간 수를 정리한 것이다.

<표 10> 1983년 북한 고등중학교 교과목 및 수업 시간

학과목	학년 학년별 수업 시간 수						총 시간수	비중 (%)
	1학년	2학년	3학년	4학년	5학년	6학년		
위대한수령 김일성원수님의 혁명활동	2	1/2	1/2				184	2.8
위대한수령 김일성원수님의 혁명력사				2	2	3	197	3.0
현행당정책				(34)	(34)	(34)	102	1.6
특강	1	1	1	1	1	1	194	3.0
공산주의 도덕	1	1	1				88	1.3
국어 문학	5	5	4	4	3	2	769	11.7
한문	2	2/1	1	1	1	1	246	3.7
외국어	3	3	3	2	2	2	496	7.5
력사		1	2	2	2	2	280	4.3
지리	2	2	2	2	2		338	5.2
수학	7	6	6	6	6	7	1,225	18.6
물리		2	3	4	4	5	549	8.3
화학			2	3	4	4	384	5.8
생물		2	2	2	3	3	370	5.6
자연	2						72	1.1
위생독본	1	1					72	1.1
체육	2	2		1	2	1	302	4.6
음악	1	1	1	1			140	2.1
미술	1	1					72	1.1
녀학생실습(녀자) 공장실습(남자)	1	1	1	1	1	1	194	3.0
제도					2		64	1.0
기계기본(도시, 농촌)					2		58	0.9
실습					(72)	(108)	180	2.7
계							6,576	100

※ 1, 2, 3학년의 학기는 1학기 16주, 2학기 20주이며, 4, 5학
   년은 1학기 14주, 2학기 15주, 6학년은 1학기 13주, 2학기
   12주이다.(김형찬, 1990, p.159에서 재인용)

1983년 북한의 고등중학교의 정치사상 분야 교과목은 '위대한 수령 김일성원수님 혁명력사', '위대한 수령 김일성원수님 혁명활동', '공산주의 도덕', '현행당정책', '특강' 등이고, 총 수업 시간 수는 765시간이다. 이것은 총 수업 시간수인 6,576시간 중 약 11.6%이다.

<표 10>에서 주목할 만한 것은 '특강' 교과목이다. 특강은 고등중학교 1학년부터 6학년까지 전 학년이 1주일에 1시간씩 수업하도록 되어 있다. 이 과목은 김정일 관련 교과목으로 1980년대 중반에 고등중학교 저학년에서는 '친애하는 지도자 김정일 동지 혁명활동', 고등중학교 고학년에서는 '친애하는 지도자 김정일 동지 혁명력사'로 과목명이 변경되어 정규 교과로 운영되었다. 탈북자의 구술에 의하면 특강 과목은 1982년과 1983년에 과목명으로 존재했고, 이후에는 '김정일 동지 혁명력사' 등의 과목명으로 바뀌어 김일성 관련 과목과 동등한 위상으로 교육되었다(이향규 외, 2010, p.233).

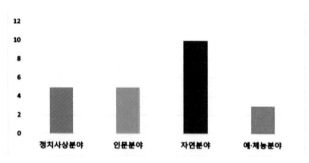

[그림 6] 1983년 고등중학교 분야별 교과목 수

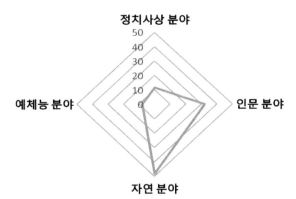

[그림 5] 1983년 고등중학교 분야별 수업 시간 비중(%)

<표 11> 1983년 중등학교 분야별 교과목

과목 군	과목수	교과목 명	시간 수	비중(%)
정치사상 분야	5과목	위대한 수령 김일성대원수님 혁명력사, 위대한 수령 김일성대원수님 혁명활동, 현행 당정책, 공산주의 도덕, 특강	765	11.6
인문 분야	5과목	국어 문학, 한문, 외국어, 력사, 지리	2,129	32.4
자연 분야	10과목	수학, 물리, 화학, 생물, 자연, 위생독본, 실습(남, 녀), 제도, 기계기본, 실습	3,168	48.2
예체능 분야	3과목	체육, 음악, 미술	514	7.8

<표 11>에서와 같이 김일성시기인 1983년 북한 고등중학교 교육 과정에서 정치사상 분야의 교과목이 등장했다. 따라서 1983년 북한 의 중등교육에서는 정치사상 분야 교육을 하였다는 것을 의미한다.

또한 1983년 고등중학교에서는 자연 분야의 수업이 전체 수업시간 중 48.2%이고, 인문 분야의 수업시간이 32.4%로 자연 분야에 대한 수업 비중이 더 많다. 1983년 교육과정에서 자연 분야의 수업 비중이 인문 분야 수업 비중보다 높게 나타나는 이유는 1980년대부터 시작된 영재 교육의 영향이었으며, 인문 분야가 특히 감소한 원인은 정치사상 분야의 신설로 인한 것으로 분석된다. 정치사상 분야의 교과목 등장으로 인해 다른 교과목의 변화가 나타날 수밖에 없었다. 자료는 1991년 고등중학교 교과목 및 수업 시간을 정리한 것이다.

<표 10>, <표 11>, <표 12>의 비교해볼때 1983년과 1991년 교육과정의 변화는 크게 나타나지 않는다. 정치사상 분야의 교과목이 그대로 존재하며, 자연 분야(49.3%)를 인문 분야(33.3%)보다 비중 있게 교육한다. 그러나 1983년과 1991년의 가장 큰 차이는 김정일 관련 교과의 등장이다. 1983년에는 김일성 관련 교과목만 있었지만 1991년 교과에는 김정일 관련 교과목도 등장하였다.

국가는 필요에 의해 교육과정을 변화하여 국가가 학생들에게 교육하고자 하는 방향을 선정한다. 1954년, 1983년, 1991년은 모두 김일성시기이지만 가르치는 과목의 변화가 있었다. 1954년과 1983년의 차이는 정치사상 분야의 교과목이 등장한 점이다. 그리고 1954년에는 인문 분야의 교육에 치중하였지만 1983년과 1991년에는 자연 분야의 교육에 치중했다.

<표 12> 1991(주체 80)년 북한 고등중학교 교과목 및 수업 시간

교과명	학년별 주당 수업 시간 수						총 시수	비중 (%)
	1년	2년	3년	4년	5년	6년		
위대한 수령 김일성원수님 혁명활동	2	1	1				150	2.2
위대한 수령 김일성원수님의 혁명력사				2	2	3	195	2.9
위대한 령도자 김정일원수님의 혁명활동	2	1	1				112	1.7
위대한 령도자 김정일원수님의 혁명력사				1	1	1	110	1.6
현행당정책				(34)	(34)	(34)	102	1.5
국어 문학	5	4/5	4	4	3	2	769	11.5
한문	2	2/1	1	1	1	1	251	3.7
외국어	3	3	3	3	3	3	591	8.8
력사		1	2	2	2	2	280	4.2
지리	2	2	2	2			344	5.2
수학	7	7	6	6	6	7	1288	19.1
물리		2	3	4	4	5	549	8.2
화학			2	3	4	4	381	5.7
생물		3	2	2	3	3	410	6.1
체육	2	2	2	1	1	1	309	4.6
음악	1	1	1	1			143	2.1
미술	1	1					46	0.7
녀학생 실습(녀)	1	1	1	1	1	1	210	3.1
기계조작 실습(남)							197	2.9
제도				1	1		60	0.9
실습: 전자기계				(36)	(50)	(34)	120	1.8
선택과정					(26)	(74)	100	1.5
전체 22과목	27	31	31	34	34	34	6712	100

※ 출처: 통일부 통일교육원, 『북한 교과서 분석』(1991)
※ 숫자가 표시 되지 않은 부분은 해당 학년에 과목이 없고 교육시간이 없음을 의미하며, ( )안의 숫자는 해당 학년에서 해당 시간만큼 이수해야 한다는 의미이다.

<표 12>의 1991(주체 80)년 북한 고등중학교의 교육과정에서 정치사상 분야 과목은 '위대한 수령 김일성원수님 혁명력사', '위대한 수령 김일성원수님 혁명활동', '위대한 령도자 김정일원수님의 혁명력사', '위대한 령도자 김정일원수님 혁명활동', '현행당정책' 등 5개이고 총 수업 시간 수는 669시간으로 총 수업 시간 수인 6,712시간의 약 10.0%이다. 김일성시기인 1983년과 1991년을 비교해 보았을 때 가장 눈에 띄는 것은 1991(주체80)년의 교육과정에 '위대한 령도자 김정일원수님 혁명력사'과 '위대한 령도자 김정일원수님 혁명활동' 과목이 신설된 점이다.

<표 13> 1991(주체 80)년 중등학교 분야별 교과목

과목 군	과목수	교과목 명	시간수	비중(%)
정치사상 분야	5과목	위대한 수령 김일성대원수님 혁명력사, 위대한 수령 김일성대원수님 혁명활동, 위대한 령도자 김정일대원수님 혁명력사, 위대한 령도자 김정일대원수님 혁명활동, 현행당정책	669	10.0
인문 분야	5과목	국어문학, 한문, 외국어, 력사, 지리	2,235	33.3
자연 분야	9과목	수학, 물리, 화학, 생물, 제도, 선택과정,실습(전자기계), 실습(남, 녀),	3,310	49.3
예능 분야	3과목	체육, 음악, 미술	498	7.4

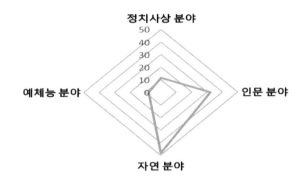

[그림 7] 1991(주체 80년 고등중학교 분야별 수업 시간 비중(%)

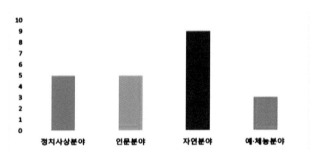

[그림 8] 1991(주체 80)년 고등중학교 분야별 교과목 수

　북한에서 김일성 1인 독재가 지속되면서 학교 교육에서도 이념 과목 도입, 개별 학과목의 당 정책화 등 김일성 일가에 대한 우상화가 심화된다. 1949년, 1954년의 교과과정에서는 김일성의 혁명활동이나 혁명력사 등의 교과목이 없었지만 1983년 인민학교에는 '경애

하는 수령 김일성원수님 어린시절', '특강(김형찬, 1990. p.156.)[10]', '공산주의 도덕' 등의 교과목이 있다. 같은 해 고등중학교 교과과정에서도 '현행당정책', '위대한 수령 김일성원수님 혁명활동', '위대한 수령 김일성원수님 혁명력사', '특강', '공산주의 도덕' 등이 등장한다.

북한의 1954년 이전 인민학교 교과목에 '산수문제집'이라는 과목이 있다. 이것은 소련 교육자가 집필한 책을 번역한 것으로 1955년부터는 북한 교육자가 집필하는데 이러한 점으로 볼 때 북한에서 교과서를 독자적으로 편찬할 수 있는 역량이 형성되었다고 볼 수 있다. 이 교과목이 '산수'로 교과목명이 바뀌게 된 것은 1958년부터였다(김형찬, 1990, p.133).

또한 북한의 학습 과목 중 특이한 점은 '한문' 과목이다. 북한에서 김일성은 혁명적인 언어사상, 당의 모국어 교육정책의 성과, 문맹퇴치 사업의 완성, 교육문화의 대중화, 그리고 우수한 민족글자의 존재 등으로 1948년에 한자 폐지사업을 본격화시켰으며, 1949년 한자 사용의 폐지 제도를 실시하였다. 그러나 1956년 김일성종합대에 한문학과가 신설되었으며 한자교육이 강화되며 학교교육에서도 한문교과 수업 시간 수가 인민학교를 비롯하여 고등중학교까지 이어지며 매 학년마다 한자 수업을 하였다. 이것은 김일성시기와 김정일시기를 거쳐 김정은시기까지 지속된다.

---

10) 특강이란 김정일을 우상화한 과목이다.

북한 정권의 수립과 함께 구소련식 학제를 수용했을 때인 1949년 북한 중학교 교육과정에는 한문 과목이 없었다. 그러나 <표 6>, <표 7>의 중등학교 교과 과정(1954년)에서는 한문과목을 초급중학교에 125시간, 고급중학교에 198시간 배정하였다. 그리고 6년 동안 꾸준히 배운다는 것을 감안한다면 한문과목을 비중 있게 다루고 있다고 볼 수 있다. <표 12>에서와 같이 1991년 한문 수업 시간이 251시간으로 외국어의 수업 시간인 591시간의 약 50% 정도가 되는 것으로 보아 한문 교육을 소홀히 하지 않고 중요하게 여긴다고 볼 수 있다. 북한의 보통교육 부문에서 한문은 고한문(古漢文)이 아니라 국한문(김형찬, 1990, p.164), 즉 일상생활에서 쓰는 문장에 들어 있는 한자 어휘들을 가르치는 과목이다.

김일성시기인 1949년, 1954년, 1983년, 1991년의 중등학교 교육과정의 특징은 다음과 같이 요약할 수 있다. 첫째, 정치사상 분야의 교과목이 존재하지 않는다. 북한의 교육이 일찍부터 김일성 우상화를 시도했을 것으로 생각하지만 교육과정을 살펴보면 그렇지는 않다.

둘째, 자연 분야 교과의 비중이 인문 분야의 교과보다 높지 않다. 1949년과 1954년, 1983년의 교육과정에서는 모두 국어, 수학, 외국어 등의 인문 분야에 많은 시간을 배정하고 있으며, 자연 분야의 교과 비중이 높지 않았다. 국어, 수학, 외국어, 사회교과가 차지하는 비중이 초등중학교에서는 70.8%, 고등중학교에서는 64.2%이다. 이는 고등중학교의 총 수업 시간 수가 초등중학교의 총 수업 시간 수보다 많기 때문이기도 하지만 고등중학교에서는 학습해야 하는 과목수가 증가했기 때문이기도 하다.

셋째, 한문교육은 국한문을 중심으로 꾸준히 이루어지고 있으며 많은 시간을 배정하고 있다. 1991년의 교육과정에서도 한문 수업 시간이 251시간으로 외국어 수업 시간 수인 591시간의 약 50% 정도가 되는 것으로 한문교육을 경시하지 않는다는 것을 볼 수 있다. 다음 자료는 1954년과 1983년, 1983년과 1991년의 중등학교 교육에서 추가된 교과목 및 삭제된 교과목의 변화를 정리한 것이다.

2023년에 심은 국화

<표 14> 김일성시기 1954년과 1983년의 교과목 비교

구분	중학교(1~3학년)	고등학교(4~6학년)
1983년 교육과정에서 추가된 교과목	위대한 수령 김일성원수님 혁명활동, 특강, 공산주의 도덕, 수학, 력사, 지리, 화학, 생물, 자연, 미술,	위대한 수령 김일성원수님 혁명활동, 현행당정책, 특강, 수학, 력사, 지리, 화학, 생물, 녀학생실습(녀자), 공장실습(남자), 기계기본(도시, 농촌), 실습
1954년 교육과정에서 삭제된 교과목	특강, 녀학생실습(녀자), 공장실습(남자), 산수, 대수, 기하, 식물, 조선력사, 세계력사, 자연지리, 세계지리, 음악, 도화	특강, 실습, 녀학생실습(녀자), 공장실습(남자), 대수, 기하, 삼각, 동물, 조선력사, 세계력사, 세계경제지리, 조선경제지리
변경된 교과목	'조선어'와 '문학'이 통합되어 '국어 문학'으로 변경, '노어'가 '외국어'로 변경, 도화가 미술로 변경	'조선어'와 '문학'이 통합되어 '국어 문학'으로 변경, '노어'가 '외국어'로 변경,

<표 14>의 1954년과 1983년의 교과목 변화를 살펴보면 1954년 중학교와 고등학교과정에서 모두 정치사상 분야 교과목이 등장하며, 1954년에는 세분화 되었던 교과목 명을 1983년에는 하나의 교과목 명으로 통합하고 있다. 중학교와 고등학교 과정에서 '산수', '대수', '기하', '삼각'을 '수학'이라는 교과로 통합하였으며, '조선력사', '세계력사'는 '력사'로, '자연지리', '세계지리'는 '지리'로 통합하였다. 이는 공산권에서 지리교과를 세분하여 학습하고

경제지리 부분을 강조하던 것에서 북한의 과목 체계를 갖춘 시기라고 볼 수 있다. 특히 중학교와 고등학교에서 모두 '노어'를 '외국어'로 표현하는 것은 특이한 점이다.

<표 15> 김일성시기 1983년과 1991년의 교과목 비교

구분	중학교(1~3학년)	고등학교(4~6학년)
1991년 교육과정에서 추가된 교과목	위대한 령도자 김정일원수님 혁명활동	위대한 령도자 김정일원수님 혁명력사,
1991년 교육과정에서 삭제된 교과목	공산주의 도덕, 특강, 자연, 위생독본, 녀학생실습(녀자), 공장실습(남자), 기계기본(도시, 농촌)	특강, 실습, 기계조작, 실습:전자기계, 실습(녀), 실습(남), 선택과정
변경된 교과목	'국어 문학' 교과목이 '국어'로 변경	'국어 문학' 교과목이 '문학'으로 변경

1983년과 1991년을 비교할 때 가장 특징적인 부분은 김정일 관련 교과목의 등장이다. '공산주의 도덕', '특강' 과목은 삭제되었지만 대신 김정은 관련 교과목이 등장하였다. 이러한 현상들의 저변에는 우상화 교육 및 세습화가 가장 큰 원인이었다.

Part 3

김정일시기 교육정책 및 교육과정

1980년대에는 김정일[11] 후계 체제가 확립되었지만 경기 침체가 가중되면서 부분적으로 위기 극복을 위한 새로운 출로를 모색한 시기이다. 조선노동당은 1980년 조선노동당 제6차 당 대회에서 중앙 지도기관 선거를 통해 김정일 후계체제의 확립을 공개적으로 선포하

---

11) 김정일은 중앙위원회 위원(1972년 10월 제5기 5차 전원회의), 조직 및 선전 담당 비서(1973년 9월 제5기 7차 전원회의), 정치위원회 위원(1974년 2월 제5기 8차 전원회의에서)으로 선임되었으며, 조선로동당의 영원한 총비서(2012년 4월 11일 조선로동당 당대표자회의), 영원한 국방위원장(2012년 4월 13일 조선민주주의인민공화국 최고인민회의 제12기 제5차 회의)으로 추대되었다.

였다. 중앙 조직에서는 중앙위원회 정치위원회가 폐지되고 정치국과 상무위원회가 새롭게 구성되었다. 이로써 김정일은 당내 3대 권력기구인 당중앙위원회 정치국 상무위원, 군사위원회 위원, 비서국 비서로 선임되었다. 이는 김일성을 제외하면 유일하게 당내 3대 권력기구에 모두 선출된 것이었다. 그리고 당 지도부도 항일혁명 2세대와 전문지식을 가진 실무형 지도자로 대부분 교체되었다. 조선노동당 제6차 당대회를 통하여 김정일의 정치적 입지가 강화되었을 뿐만 아니라 1980년대 중요한 과제로 혁명전통의 계승 발전이 공식화 되었다(이종석, 1998, pp.510-513).

그 후 김정일은 1994년 김일성의 사망으로 북한의 최고 통치자가 되었다. 김정일 시대는 정치·사회적으로 유일체제의 완성기이며, 북한 사회에서 새로운 세대가 전면에 등장하는 시기이며, 북한 체제의 심화된 위기가 전면적으로 드러난 시기이다(이종석, 1998, pp.86-87). 이러한 난제를 풀기 위한 방법은 국민들의 사상적 통일과 감시 등이었으며, 교육을 통해 해결하려고 하였다. 1990년대 북한은 내외적으로 많은 변화가 있었다. 1990년대 초 국외적으로는 구소련의 변화와 함께 나타난 사회주의 체제의 몰락으로 인한 국제적 고립이 있었다. 국내적으로는 김일성의 사망, 식량난 등으로 인한 사회제체 붕괴 조짐 등이 있었다. 김정일은 이러한 위기 극복을 타개하기 위한 방법으로 유훈통치와 선군정치[12]를 중심으로 북한을 통치하였다. 선군정치는 군사력을 최우선시하는 것으로 군인정신을 바탕으로 경제를 타결해 나갈 수 있으며 사회의 혼란을 극복할 수 있다는 생각이었다.

김정일은 "경제건설보다 중요한 것은 군대를 강하게 만드는 것이며 총대가 강하면 강대한 나라가 될 수 있다", "선군정치는 나의 기본 정치방식이며, 우리혁명을 승리에로 이끌어 가는 만승의 보검"(통일교육원, 2009, p.38) 이라고 주장하는 등 군사 우선정책의 정당성을 강조하였다. 또한 김정일 일인 지배를 정당화하기 위한 도구적 기능을 수행하는 이념체계가 주체사상이다. 혁명적 '수령론'이나 '사회정치적 생명체론', 그리고 '사회주의 대가정론' 등에 의해 보완되고 있는 주체사상은 북한의 모든 인민과 정치조직 및 기구가 수령의 지휘 아래 일사불란하게 움직이며 수령의 교시와 명령에 복종할 것을 요구했다(통일교육원, 2010, p.54).

김정일은 김일성의 위업을 정치에도 활용하였는데 유훈통치 사상과 붉은기 철학 등과 같은 것이었다. 이에 따라 학교에서는 유훈통치 사상과 붉은기 철학을 기반으로 하여 모든 학생들에게 혁명의 1, 2세들이 발휘한 당과 수령에 대한 끝없는 충실성과 혁명 위업에 대한 헌신성, 불굴의 투쟁 정신을 적극 배우도록 하는 혁명 전통교육

---

12) 1998년 북한의 개정 사회주의 헌법에서는 조선중앙노동당 국방위원회가 최고 군사지도기관으로 되었으며, 국방위원회 위원들이 북한의 권력 서열 2에서 15위까지 모두 차지하였다.

이 강조되었다. 또한 이러한 전통을 이어받도록 하기 위해 학교의 명칭을 혁명 사적지나 영웅의 이름으로 변경하였다. 이러한 변화는 결핍되어 있는 물질적 보상 대신에 김일성 유훈통치나 혁명 전통교육과 같은 사상적·도덕적 자극을 통해 1990년대의 위기정국을 타개해 나가려는 시도였다고 볼 수 있다(이용을, 2013, pp.206-207).

그러나 이러한 노력에도 불구하고 북한의 경제난은 더욱 심각해졌다. 북한은 11년제 의무교육을 하는 선진국가라고 자랑하지만 이 시기에 북한의 의무교육은 한계를 드러낸다. 수업료만 없을 뿐이고 교복, 교과서, 학용품 등 학교생활에 필요한 물품뿐 아니라 학교 건물 관리, 교육 기자재, 난방을 위한 연료 등 학교를 운영하는데 소요되는 비품 및 경비를 학생들이 부담해야 했다. 따라서 학생들의 출석률 저조, 수업에서의 질적인 하락, 교사의 권위 하락 등 교육 전반에 걸쳐 총체적인 위기가 나타났다.

고난의 행군 시절을 겪으면서 사회주의식 계획경제 정책의 혼란을 가져왔다. 계획경제 체제 속에서 이탈 주민들이 나오기 시작하였고 자본주의 경제체제의 일종인 장마당이 정착하게 되었다. 이러한 장마당의 등장은 북한 사회에 많은 부분 영향을 미쳤다. 경제 분야뿐만 아니라 소조 활동이나 집단 농장 체제 등 정치사상 이외의 분야에 많은 변화를 가져왔다. 이렇게 되면서 북한에서도 공식적으로 '뙈기밭' 등의 사유재산을 인정하고 포전 담당제로 전환되는 계기를 마련하게 되었다. 김정일은 이렇게 변해가는 시대적 상황을 교육을 통해 통제하고 억제하려고 하였다.

　이시기에 김정일은 정치 사상교육과 경제발전의 토대가 될 수 있는 수재교육을 지속하였다. 사상교육을 통해 사상적으로 해이해지지 않도록 단속하고 식량난으로 인한 사회 붕괴를 미연에 방지하기 위한 것이었으며, 수재교육은 국제적으로 특수한 분야의 수재육성의 필요성을 인식하고 곤란해진 경제 회생의 돌파구를 마련하기 위한 것이었다. 이것은 그동안 북한 교육이 의무교육으로 모든 주민들에게 평등성 교육을 강조해왔던 것과는 달리 수월성 교육을 추구하는 입장으로 돌아서게 된 것이다.

　북한에서 대학을 진학할 때 학과의 성적 및 추천서, 그리고 중요한 사항이 출신 성분과 당성이다. 북한에서 고등학교 졸업 후에 사회생활이나 군대에 입대하여 생활하다가 대학에 진학하는 방법이 일반적이며 '직통생13)'은 매우 어려운 일이다. 그런데 외국어나 컴퓨터, 예체능 등 특수한 분야의 영재교육에 지원할 경우에는 당성이 절대적이지 않게 되었다. 따라서 북한 주민들로서는 이러한 분야에 지원하여 신분 상승의 기회로 삼을 수 있다고 생각하게 되었으며 이것은 최근에 북한에서 사교육이 증가하는 단초가 되었다.

---

13) 고등중학교 졸업 후 사회생활이나 군대생활을 하지 않고 곧 바로 대학을 진학하는 경우인 학생들을 말하는데 1980년대까지만 해도 10% 미만이었다.

북한에서 여전히 홍(紅)과 전(專)에 대한 고민을 하지 않을 수 없었다. 홍(紅)은 정치사상, 공산주의 교육 등으로 요약 할 수 있으며, 전(專)은 전문지식 기술, 과학분야, 컴퓨터, 영어 등의 전문분야의 기술 등으로 말할 수 있다. 북한에서 초기 산업화 시기 교육의 무게 중심이 전(專)의 방향으로 기울어졌다면 김일성 중심의 유일 지도체계의 확립과 김정일 후계체제가 등장하는 시기는 홍(紅)의 강세가 시작되었고, 이후 북한 교육에서 지속적으로 유지되는 홍(紅) 주도의 교육의 특성이 형성되는 시기가 김정일이 정권을 잡은 시기의 특성이라고 볼 수 있다(이향규 외, 2010, pp.233).

김일성 사망 후 주민들 단속 및 국내 안정에 치중하면서 전(專)보다는 홍(紅)을 교육의 중점으로 두었다. 또한 많은 외국 과학 기술이 유입되지 못하는 상태에서 주민들에게 당성을 강조하였다. 이는 사회주의 사상교육에 치중하여 교육할 것인가 특수 분야의 인재를 육성하여 경제 발전에 기여하는 것이 우선인가 하는 문제에 봉착하게 된 것이다. 북한에서 가장 이상적인 교육은 완벽한 사회주의 교육을 받은 영재가 과학기술 분야, 예체능 분야 등 전문 분야에 종사함으로써 경제발전에 이바지 할 수 있도록 하는 것이었다. 그러나 이론적으로 양립할 수 없는 부분이기 때문에 북한은 홍과 전 중 어느 것에 무게 중심을 두고 교육할 것인가에 고민하지 않을 수 없었다.

북한에서 김일성은 수월성 교육면에서는 반대 입장을 고수했다. 김일성은 1968년 김책공업대학에서 다음과 같은 연설을 하였다.

> "일부 사람들은 천재가 되려면 다른 일은 하지 말고 어렸을 때부터 체계적으로 공부해야 한다고 하면서 중학을 마치면 인차 대학에 가야한다고 하였는데 우리는 그 리론에 찬성할 수 없습니다. 물론 그들의 말대로 중학을 나오고 인차 대학에 들어가면 학생들이 일부 기술과목을 공부하는데 좀 빠를 수 있습니다. 그러나 그 대신 학생들이 사회적 단련을 받지 못하기 때문에 그들을 혁명화하는 데서는 그만큼 더디며 따라서 사회에 나가서 다시 혁명화하지 않으면 안 될 절름발이 인테리를 길러낼 수밖에 없습니다."(이향규 외, 2010, pp.227-228)

김일성은 "심지어 어떤 사람들은 '수재론'까지 들고 나오면서 재간이 있는 사람들에게는 책만 읽게 하여야 한다고 합니다. 처음부터 무슨 특별한 재간을 가진 수재가 따로 있는 것이 아닙니다. 우리는 '수재론'을 반대합니다."라고 하면서 수월성 교육을 반대하고 평등성 교육에 치중했다. 교육에서는 모든 사람을 평등하게 교육하여야 한다는 것을 강조하였으며, 탁월한 예지 능력을 갖춘 사람은 오직 인민의 지도자라고 생각하였다. 따라서 평등성 교육에 치중하고 사회주의 이념인 평등 사회를 실현하기 위하여 보편적인 의미의 교육 기회의 확대를 중시하였다.

그러나 김정일은 1984년 '20대 박사를 양성해야 한다.'고 자신의 의견을 피력하면서 수월성 교육을 주장하였다. 1984년 김정일은 전국교육일군열성자회의 참가자들에게 보낸 서한 '교육사업을 더욱 발전시킬 데 대하여'를 통해서 수재교육의 법적 장치를 마련했고, 1984년 9월 평양 제1중학교[14]를 설립하면서 영재교육을 본격화하기 시작했다. 특수학교 이외의 일반 중학교에도 성적이 우수한 학생들로 구성된 영재반, 소위 '7·15소조'를 운영하였다. 7·15소조는 1990년대 초부터 김 위원장의 지시에 의해 조직된 것으로 수학, 외국어, 물리, 화학 등 전 과목에 걸쳐 특별히 공부를 잘하는 학생들로 구성되었다(NK조선 2013년 10월 28일 기사(검색일: 2020/3/17)).

또한 김정일은 전국교육일군열성자회의 참가자들에게 보낸 편지에서 새 세대들을 '혁명의 계승자, 교대자'로 교육해야 한다고 그 중요성을 강조하면서 중등 및 고등 교육에서 교육 정책의 전반적인 방향을 제시하였다. 중등교육에서 정치사상 교육의 강화뿐만 아니라 기초과학 교육과 외국어 교육의 강화에 역점을 두어 설명하였다. 제6차 당 대회에서 제시된 '온 사회의 인텔리화'를 이루기 위해 '일하면서 배우는 고등교육제도'를 발전시킬 것을 강조하였다.

---

14) 1978년 중학교(6년제)를 고등중학교로 명칭 변경되었고, 2002년 9월부터 인민학교를 소학교, 고등중학교를 중학교로 명칭을 변경하였다.

1980년대 초부터 1990년대 초까지 북한교육에서 나타난 변화는 과학기술 교육 및 외국어교육의 강화, 수재교육의 도입, 고등교육의 대중화와 이원화로 이다. 또한 이때 나타난 중요한 변화는 중등교육에서 엘리트 교육기관이 분화되었다는 점이다. 과학 기술교육 및 외국어 교육의 강화와 수재교육의 도입이라는 교육정책은 1970년대 이후로 지속된 경제적 침체에 대한 교육적 대응책이었다(이향규 외, 2010, pp.229-234).

그러나 이러한 노력에도 불구하고 북한의 경제난은 더욱 심각해졌다. 북한은 11년제 의무교육을 하는 선진국가라고 자랑하지만, 이 시기에 북한의 교육은 수해와 그에 따른 식량난으로 시작된 경제 위기로 인해 한계를 드러낸다. 「교원신문」(2000년 8월 3일 2면)에 게재된 글에서는 '교사들이 수업을 늦게 시작하거나 일찍이 끝내는 것과 같은 무질서한 현상'을 시정할 것과 '학생들의 출석률을 보장하기 위한 투쟁을 힘있게 벌려 나갈' 것을 강조하고 있다. 1994년 이후 상당 기간 교사들에게 배급이 중단되었기 때문에 교사들은 식량을 구하기 위해서 번갈아 결근해야 했고, 그로 인한 수업손실을 보충하기 위해서 남아있는 교사가 자신의 담당과목이 아닌 교과목까지 2~3 과목을 가르치는 양상이 전개되었다(조정아, 2004, p.54).

학교에서는 수업료만 없을 뿐이고 교과서, 학용품, 교복 등 학교생활에 필요한 물품뿐 아니라 학교 건물 관리, 교육기자재, 난방을 위한 연료 등에 이르기까지 학교 운영에 드는 각종 경비를 학생들이 부담해야 했다. 따라서 학교 교육에서 출석률 저하, 수업에서 질의 하락, 교권 하락 등의 총체적인 위기를 드러냈다. 따라서 이 시기 교육은 학교의 파행적 운영을 최소화하면서 사회 전 부문에 걸친 사상적 이완을 교육을 통하여 방지하는 한편, 기술 분야의 인력 양성을 통하여 경제 재건을 도모해야 하는 이중의 과제가 부여 되었다.

김정일시기의 교육과정 변화에서 주목할 만한 일은 1996년에 단행한 교육과정 개편이라고 할 수 있는데, 그 내용은 김정일 우상화 교육에 중점을 두고 개편된 것이다. 이 시기에는 경제적으로 계획경제의 허점이 드러나고 있으면서 자본주의 경제의 일부가 도입되었으며 그로 인해 사상적으로 무장하려는 움직임이 있었다. 1996년에는 인민학교 교육과정에 '공산주의 투사 김정숙어머니 어린시절'이 도입되어 매주 1시간씩, 고등중학교 과정에 '공산주의 혁명투사 김정숙 어머니 혁명력사' 과목을 4학년에 주당 1시간씩 배정하였다(조정아, 2004, p.62).

북한은 경제난으로 인해 사회 전제적으로 사상적인 느슨함이 있었다. 그러나 이것을 정치사상 교육의 강화를 통해 제제하고자 하였다. 북한에서 정치사상 교육의 최고 목표는 김일성과 김정일에 대한 충성심 고취이다. 이에 따라 학교에서는 김일성 일가에 대한 우상화인 백두산 3대장군(김일성, 김정일, 김정숙)의 위대성을 기본으로 한 어린 시절(소학교)이나 혁명활동, 혁명역사(중등학교) 등의 과목을 배우며, 대학에서도 학생의 전공과 관계없이 주체철학, 혁명역사, 주체 정치경제학 등을 학습해야 한다.

북한의 정치사상 교육은 최고지도자에 대한 충성심 고양이 핵심 내용이나, 경제난 이후 자본주의 요소 유입에 대한 경계와 핵과 미사일 등의 문제를 둘러싼 북·미 갈등이 고조되면서 반미 대결과 투쟁의식의 고취 등과 같은 계급교양도 주요 내용으로 다루고 있었다. 북한의 사상교육 강화는 교육을 사상혁명의 핵심적인 수단으로 간주하는 것으로 교육과 정치가 결합되어 있다는 점이다. 그리고 교육과정에 기초기술 교육과 실습 또는 생산노동 등이 포함되어 있는 등 북한의 교육은 생산 활동과 직접 결합되어 있다. 또 다른 특징은 교육의 내용과 방법이 국가에 의해 규격화되어 하달되고 있어 학습자가 선택할 수 있는 권리는 존재하지 않는다는 점이다(통일교육원, 2010, pp.186-187).

평양과 함흥에 조선계산기 단과 대학이 설립된 것을 시작으로 관련 학과와 단과 대학이 신설되었다. 이러한 점으로 보아 북한에서 IT분야의 교육은 1980년대 중반부터 시작되었다고 할 수 있으며, 1990년대부터 IT분야의 교육이 본격화 되었다. 1990년대 초부터는 고등중학교에서도 부분적이나마 컴퓨터 교육을 시작하였으며, 1990년대 후반에 정규교과로 편입되어 고등중학교 4학년 이상 학생들에게 한 주에 2시간씩 교육하였다. 1980년대 후반부터는 컴퓨터 관련 과목이 제1고등중학교 6학년 정규과정에 운영되면서 컴퓨터 자판 연습과 프로그램 작성 등의 교육을 실시하였다. 정규교과 이외에도 각 학교에서 가장 뛰어난 인재들로 컴퓨터 소조를 구성하여 이들에 대한 집중적인 교육을 하였다. 1997년부터는 '전국고등중학교 학생 프로그램 경연'을 실시하고 있으며, 프로그램 전문가가 25세를 넘으면 늦기 때문에 조기교육을 통하여 전문가를 양성하여야 한다는 김 정일의 교시에 따라 교육성은 2000년 12월 각 시도에 2~3개의 컴퓨터 시범학교를 만들었다. 2001(주체 90)년에는 평양학생소년궁전, 만경대 소년학생궁전, 금성 제1, 제2고등중학교에 컴퓨터 수재반을 신설하여 전국에서 선발된 우수한 학생들로 구성되었다. 따라서 IT 분야에서 20대 박사를 양성하는 것이 강성대국으로 가는 가장 빠른 길이라고 생각하여 IT분야의 엘리트 양성에 총력을 기울인 것이다. 김정일시기[15]인 2001(주체 90)년 학제는 다음과 같다.

북한은 2001(주체 90)년 북한은 유치원 높은반 1년을 포함하여 고등중학교 6년까지 모두 11년이 의무교육을 했다. 의무교육을 마치면 군대에 입대하거나, 소수의 학생들이 '직통생'이라는 이름으로 대학에 진학한다. 대학을 졸업하면 우리나라의 석사 과정에 해당하는

---

15) 김정일시기를 어느 기간으로 하는가에 대한 의견은 다를 수가 있다. 김 일성시기에 후계자로 지명이 되면서 정치 분야뿐만 아니라 교육 분야에 서도 영향력을 행사했기 때문이다. 그러나 본 논문에서는 그의 집권시기로 한정하기로 한다.

연구원 과정을 거치며 그 후 박사원에서 박사과정을 공부한다.

<표 16> 2001(주체 90)년 북한의 학제

연령					
26					고등 교육
25		박사원			
24		연구원			
23		(2~4년)			
22					
21					
20					
19		대학			
18		(4~7년)			
17			단과대학	고등 전문학교	
16			(3~4년)	(2~3년)	
15	의 무 교 육	고등중학교(6년)			중등 교육
14					
13					
12					
11					
10					
9		인민학교(4년)			초등 교육
8					
7					
6					
5		유치원(2년)		높은반(1년)	학교
4				낮은반(1년)	전
3		탁아소			교육

※ 출처: 통일교육원, 2002. p.144

<표 17> 2001(주체 90)년 고등중학교 교과목 및 수업 시간

교과목 명	학년별 주당 수업 시간 수						총 시간 수	비중 (%)
	1학년	2학년	3학년	4학년	5학년	6학년		
위대한 수령 김일성대원수님 혁명활동	1	1	1				150	1.6
위대한 수령 김일성대원수님 혁명력사				2	2	2	240	2.6
위대한 령도자 김정일원수님 혁명활동	1	1	1				150	1.6
위대한 령도자 김정일원수님 혁명력사				2	2	2	240	2.6
항일의 녀성영웅 김정숙어머님 혁명력사				1			40	0.4
사회주의도덕(공산주의도덕)	1	1	1	1	1	1	270	2.9
현행당정책				1주	1주	1주	-	0.0
국어	5	5	4				700	7.6
문학				4	3	2	360	3.9
한문	2	2	1	1	1	1	370	4.0
외국어	4	3	3	3	3	3	1,040	11.4
력사	1	1	2	2	2	2	560	6.1
지리	2	2	2	2	2		540	6.0
수학	7	7	6	6	6	6	1,720	18.8
물리		2	3	4	4	4	730	8.0
화학			2	2	4	4	500	5.5
생물		2	2	2	3	3	520	5.7
체육	2	2	2	1	1	1	420	4.6
음악	1	1	1	1			190	2.1
미술	1	1					100	1.1
제도					1	1	80	0.9
콤퓨터				2	2	2	240	2.6
실습(남.녀)	1주	1주	1주	1주	1주	1주	-	
전체 23과목							9,160	100

※ 북한 교육성의 과정안(1996년 3월)을 바탕으로 이후 변화를 반영하여 작성
※ '1주'로 표시된 과목은 1주일동안 학습하는 것을 의미하며, 1~3학년은 연간 50주, 4~6학년은 연간 40주(출처: 통일연구원, 2002, p.150)

2001(주체 90)년 교육과정의 특징 중 하나는 지역 특성에 맞는 선택 과목제가 도입되었다는 점이다. 국가와 당이 교육의 전반을 관리 및 통제하는 북한의 교육에서 개별 학교 및 학생에게는 교육 내용은 물론 교과목의 선택권이 없었으나 2001년 4월 1일 새 학년이 시작되면서 처음으로 지역별 특성에 맞는 선택 과목제가 중등 교육에 도입되었다. 농촌 지역에서는 어촌 지역에서는 어업 관련 교육, 경공업 공장 지역에서는 경공업 관련 교육, 산간 지역에서는 임업 관련 교육, 농업 관련 교육을 하게하는 방식이다. 북한에서는 선택 과목제가 도입되면서 광업, 기계, 임업, 식료, 피복, 약전(弱電; 통신공학) 등 6종의 교과서를 펴내기도 하였다(통일교육원, 2014, p.246).

2001(주체90)년 교육과정에서 학생들은 고등중학교 6년간 총 9,160시간의 수업을 이수해야 한다. 국어 교과(국어, 문학)는 1,060시간, 수학교과(수학)는 1,720시간, 외국어는 1,040시간이 배정되어 있으며 이 세 교과의 시간을 모두 합치면 3,820시간으로 전체 9,160시간 중 41.7%를 차지한다. 사회교과목으로는 력사 560시간과 지리 540시간으로, 역사와 지리 교과가 모두 1,100시간 배정되어 있다. 과학 교과로는 물리(730시간), 화학(500시간), 생물(520시간)이며 과학교과의 수업 시간은 1,750시간으로 전체의 19.1%로 사회교과보다 많이 배정되어 있다. 이것은 1991(주체 80)년이나 그 이전의 교육과정에서 사회교과가 과학교과보다 높게 나타났던 것과는 비교

가 된다. 이러한 사실은 김정일시기에 교육의 목표를 '혁명인재 육성'에서 '공산주의적 새 인간'으로 변경되면서 전문적인 기술을 강조하는 시기이기 때문으로 분석된다. 2001(주체 90)년 김정일시기의 교육과정에서 국어, 수학, 외국어 수업 시간 수가 전체 수업 시간인 3,187시간의 약 41.7%로 여전히 많은 비중을 차지하고 있다. 다음 자료는 2001(주체 90)년 고등중학교 교과목을 정치사상 분야, 인문 분야, 자연 분야, 예·체능 분야 등 분야별로 정리한 것이다.

<표 18> 2001(주체 90)년 고등중학교 분야별 교과목

분야	과목수	교과목 명	시간수	비중(%)
정치사상 분야	7과목	위대한 수령 김일성대원수님 혁명활동, 위대한 수령 김일성대원수님 혁명력사, 위대한 령도자 김정일대원수님 혁명활동, 위대한 령도자 김정일대원수님 혁명력사, 항일의 녀성영웅 김정숙어머님 혁명력사, 현행당정책, 사회주의도덕	1,090	11.9
인문 분야	6과목	국어, 문학, 한문, 외국어, 력사, 지리	3,570	39.0
자연 분야	7과목	수학, 물리, 화학, 생물, 제도, 컴퓨터, 실습	4130	45.1
예체능 분야	3과목	체육, 음악, 미술	370	4.0

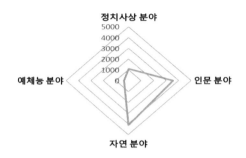

[그림 9] 2001(주체 90)년 고등중학교 분야별 교과목 시간 수 비중(%)

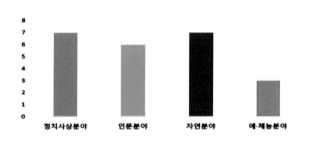

[그림 10] 2001(주체 90)년 고등중학교 분야별 교과목 수

2001(주체 90)년 고등중학교 자료에서 정치사상 분야 교과목이 약 12%로 1991년의 10%보다 증가하였다. 수업 시간 수뿐만 아니라 교과목 수도 7과목으로 2과목 증가하였다. 이는 정치사상 분야의 교과가 증가한 것뿐만 아니라 경제적인 어려움을 단속하기 위한 것으로도 해석할 수 있다. 정치적인 단결을 꾀하면서 사회주의 국가에

북한 학생들은 학교에서 무엇을 배울까?   69

서 주민 이탈을 막기 위한 방편으로 교육을 이용한 것으로 볼 수 있다. 2001(주체 90)년에는 인문 분야(39.0%), 자연 분야(45.1%), 예·체능 분야(4.0%) 중에 교육의 방향이 자연 분야에 치중하고 있으며, 예·체능 분야는 상대적으로 감소하였다.

목련 (2024.3.25)

Part **4**

김정은시기 교육정책 및 교육과정

김정은16)이 등장할 당시 국제사회는 북한을 주시하였다. 많은 국가에서 북한 붕괴론이 다시 등장하였지만, 김정은은 2011년 김정일의 사망으로 조선민주주의인민공화국 국방위원회 부위원장, 조선로동당 제1비서 등 북한의 주요 요직을 거쳤다. 김정은이 집권하면서

---

16) 김정은은 1998년부터 2000년까지 　스위스　 베른의　 공립학교인 'Liebefeld-Steinhölzli Schule'에 다녔으며 김정철도 베른에서 국제학교를 다녔다. 김정일이 쓰러진 후 2009년 1월 8일 김정은이 후계자로 지명된 사실을 　공식적으로　 당 간부들에게 　알린다.　 YTN 　보도(https://www.youtube.com/watch?v=zk_3piTS_40)(검색일: 2020/3/7)

먼저 행한 사업 중 하나가 교육제도의 변경이었다.

북한은 정권이 수립된 이후 김일성은 주민들의 문맹 퇴치 및 어린 학생들의 의무교육에 많은 노력을 했으며, 주민들에게 교육 기회의 혜택을 주어 주민들의 지지를 얻었다. 이러한 의무교육 기간 연장 정책은 지속되었으며 김정은의 등장과 함께 의무교육의 연한에 변화가 생겼다. 이것은 교육과 아동에 대한 관심이 컸던 김일성의 이미지를 김정은에게 입히는 효과를 가져왔고, 많은 주민들의 관심사인 교육 문제를 정치적으로 이용하고자 하는 것이었다. 북한에서는 북한 정권이 수립된 후부터 1960년대까지 무상교육 및 의무교육의 확대를 김일성의 주요 업적으로 선전하고 있었으며, 1970년대 이후 의무교육 기간의 확대와 교육개혁은 김일성과 김정일의 공동 업적으로 내세우고 있다. 김정은은 12년제 의무교육을 도입하여 자신이 김일성과 김정일의 업적을 이어가고 있다는 점을 강조하고, 북한 주민의 지지를 얻고자 했다고 분석할 수 있다.

김정은이 등장할 당시 「로동신문」들에는 다음과 같은 글이 게재되었다. '위대한 김정일 동지를 우리 당의 영원한 총비서로 높이 모시고 주체혁명 위업을 빛나게 완성해 나가자.'(2012년 4월 19일 2면), '조민주주의 인민공화국최고인민회의 법령: 전반적 12년제 의무교육을 실시함에 대하여'(2012년 9월 26일 3면), '새 세기 교육혁명을 일으켜 우리나라를 교육의 나라, 인재강국으로 빛내이자'(2014년

9월 6일 2면). 이러한 글을 통해 북한에서는 김정은 체제를 통해 내부 결속력을 다지려고 하였으며 교육을 통한 사상적 통제를 하려고 하였다.

김일성이 북한 교육의 기초를 마련한 교육에 관한 사항들을 김정일이 시대에 맞게 수정하면서 정치사상 교육의 강화와 과학 기술 육성에 노력하는 등 소폭의 변화를 지속해 왔다면 김정은시기 교육의 변화는 지금까지와는 다른 커다란 변화가 있다. 그동안 변화는 국내에서 필요에 의해 수정된 단계였지만, 김정은 시대의 변화는 교육환경을 다른 국가들과의 균형을 맞추려는 기반을 갖추는 것이라고 볼 수 있다(「로동신문」 2014년 9월 6일).17) 이러한 변화는 국제사회의 변화가 그 국가 사회에 필요하다고 인정될 때 나타나지만 북한의 경우 대외 관계가 단절되어 있기 때문에 이러한 요구가 있다 할지라도 변화는 어렵다. 이러한 점으로 보아 이 시기 북한의 교육 변화는 사회가 공감하는 시대적 요구에 의해서 변한 것이 아니고 최고지도자의 강한 의지가 있었다고 분석된다.

2012년 9월 최고인민회의 제12기 6차 회의에서 '전반적 12년제 의무교육'을 법령으로 채택하였다. 이것은 보통교육법 제정 (2011.1.19) 및 고등교육법 제정(2011.12.14)의 연장선상에서 이루

---

17) 김정은은 '세계적인 교육발전의 추세와 좋은 경험들을 우리의 현실에 맞게 받아들여 교육에서도 당당히 세계를 앞서 나가야 한다.'고 발표하였다.

어진 조치로 최고인민회의 상임위원회가 아닌 북한 주민들 대표로 구성된 최고인민회의에서 '법령'으로 채택하였다는 것이 중요하며 북한 당국이 교육제도 개편을 중시하고 있다는 점을 보여준다(전현준 외, 2012. p.2). 북한은 중학교(6년)를 초급중학교(3년)와 고급중학교(3년)로 운영하는 것과 소학교 학습 연한을 4년제에서 5년제 전환하고 이것을 2014~2015학년도부터 시작해 2~3년 안에 마무리하기로 한다. 의무교육제도 개편으로 인한 교사 충원과 교사 자질 향상을 위한 과제들은 시간을 두고 해결해 나갔다.

북한은 '지식경제시대 교육발전의 현실적 요구와 세계적 추이에 맞게 교육의 질을 높여 새 세대들을 중등일반지식과 현대적인 기초기술지식, 창조적 능력을 소유한 혁명인재'를 양성하는 것이 교육개편의 목표임을 밝히고 있다. 또한 수학, 물리, 화학, 생물 등 기초과학 분야의 일반 기초지식과 컴퓨터 교육, 외국어교육 등을 강화하기로 하였다. 소학교 학습연한을 4년에서 5년으로 연장한 것은 인재양성은 어릴 때부터 시작해야 한다는 판단에 따른 것으로 볼 수 있다(전현준, 2012. p.3). 이 부분이 북한이 조기교육을 강조하였던 것과 궤를 같이 한다.

김정은시기에 12년제 의무교육이 발표되고 2017년 시행을 발표하면서 북한 교육은 큰 변화가 있었다. 김정은은 2012년 4월 '위대한 김정일동지를 우리 당의 영원한 총비서로 높이 모시고 주체혁명위업을 빛나게 완성해나가자'라는 담화문을 발표한다. 이 담화문의 내용 중에서 교육에 관한 부분은 다음과 같다.

> '교육사업에 대한 국가적투자를 늘이고 교육의 현대화를 실현하며 중등일반교육수준을 결정적으로 높이고 대학교육을 강화하여 사회주의강성국가건설을 떠메고나갈 세계적수준의 재능있는 과학기술인재들을 더많이 키워내야 합니다.'(「로동신문」, 2012년 4월 19일)

즉, 북한의 학제 개편 배경을 이 부분에서 찾아 볼 수 있다. '교육사업에 대한 국가적투자를 늘이고 교육의 현대화를 실현하며 중등일반교육수준을 결정적으로 높이고'라고 하는 부분은 교육 부분에 대한 투자를 늘리고 학교 체제 및 교과서 수준을 현대화하여 세계적수준으로 맞추자는 의미이다. 그리고 2011(주체 100)년 1월에 제정되고 2015(주체 104)년 12월에 수정 보충 된 조선민주주의인민공화국 보통교육법에 '제1장 보통교육법의 기본 제7조 (보통교육분야의 교류와 협조) 국가는 보통교육분야에서 다른 나라, 국제기구들과의 교류와 협조를 발전시킨다.'와 같이 서술되어 있어 교육 부분을 외국과의 교류를 통해 변화하고자 하였다.

또한 "세계적수준의 재능있는 과학기술인재들을 더많이 키워내야 합니다." 라고 언급한 부분은 과학, 기술 분야에 대한 투자 및 현대화를 통해 세계 수준에 적응할 수 있는 인재 양성을 하겠다는 의지를 밝힌 것이라고 할 수 있다. 이러한 역군을 육성하여 경제 발전의 돌파구를 찾아보고 1960대 후반 약 10%의 경제 성장도 이룩하자는 의미도 담겨 있다. '세계적 수준' 이라는 단어는 김정은의 2012년 담화문과 2012년 전반적 12년제 의무교육에 관한 법령, 2014년 전국 교육일꾼대회 담화문에서도 계속 나오고 있는데 이것은 최고지도자의 강한 의지를 반영한 것이라고 볼 수 있다.

김정은시기에는 고난의 행군과 같이 어려운 시기는 지나가고 장마당이 활성화 되었으며, '돈주'의 등장하였고 경제 지표가 호전되었다. 따라서 북한에서 이야기하는 '내가 어려워도 후대를 위한 교육에는 투자를 해야 한다.' 는 의지가 보인다. 전반적 12년제 의무교육을 하는데 교육재원 등을 마련하는 일은 쉬운 일이 아닐 것이다. 특히 새롭게 편찬된 교과서가 거의 대부분 컬러로 바뀌었고 종이의 질도 좋아진 점 등을 볼 때 많은 재원이 들어갔을 것으로 보인다. 또한 교육 예산이 늘어나면서 새로 바뀐 교복이 지급되고 학교 건물과 시설들에 대한 재건 보수 사업이 이루어지기도 했다(「로동신문」 2012년 4월 19일).18)

---

18) 김정은은 '교육사업에 대한 국가적 투자를 늘리고 교육의 현대화를 실현하여 사회주의 강성대국 건설을 짊어지고 나갈 세계적 수준의 인재를 키워야 한다.'고 하였다.

2012년 최고인민회의 제12기 제6차 회의에서 다음과 같이 발표한다. "교육도서를 인쇄하는 공장들의 능력을 결정적으로 늘이고 종이를 비롯한 자재를 충분히 보장하여 전반적 12년제 의무교육을 실시하는데 필요한 교종별 교과서, 참고서들을 원만히 보장한다." 또한 이러한 교육 시설 및 환경 개선을 위해 "국가예산에서 교육사업비 지출을 결정적으로 늘이며 교육사업에 필요한 전기와 설비, 자재를 우선적으로 보장하도록 하여야 할 것"이라고 발표한다. 이러한 것은 교육에 대한 투자를 증가하기 위한 조치라고 할 수 있다. 그리고 북한의 조선민주주의인민공화국 보통교육법(2015.12) '제2장 무료의무교육의 실시'에 의하면 교과서에 대해서는 다음과 같이 규정하고 있다.

제16조 (교과서 및 교육기자재의 생산공급)

중앙교육지도기관과 해당 기관은 학생교육에 필요한 교과서와 참고서, 과외도서 같은것을 새 학년도가 시작되기 전에 제때에 출판, 공급하여야 한다.

해당 기관, 기업소, 단체는 교육기자재와 실험설비, 교구비품 같은것을 계획적으로 생산보장하여야 한다.

김정은시기의 교육 정책 중 '새 세기 인재'의 유형은 '창조형', '실천형' 인재를 강조한다. 김정은은 전국교육일군대회 담화를 통해 고등교육체계가 '공업경제시대'의 틀에 머물러 있어 '지식경제시대'

를 이끌어갈 인재를 양성하는 데 한계가 있었다고 지적한 바 있다. 북한에서 말하는 '지식경제시대'가 요구하는 '창조형 인재'는 '배운 지식을 재현시키는데 머무르는 것이 아니라 축적된 지식에 토대하여 제 머리로 착상설계하고 새것을 발명, 창조할 줄 아는' 사람이며, '튼튼한 기초학력과 복합형의 지식구조, 높은 정보소유능력과 경쟁능력, 협동능력을 가진' 사람을 칭하는 것이다. <표 19>는 2013(주체 102)년 북한의 학제를 정리한 것이다.

1970년대 주체사상이 북한의 통치이념으로 공식화됨에 따라 교육에서도 '주체'가 강조되기 시작하였다. 1972년 노동당 제5기 제4차 전원회의에서 '10년제 의무교육과 1년간 학교 전 의무교육'을 단계별로 실시할 것을 결의하였다. 이후 1975년 9월 유치원 높은반 1년, 인민학교 4년, 고등중학교 6년을 포함하여 '전반적 11년제 의무교육'이 전면적으로 실시되었다. 1980년대 중반 이후에는 과학기술 분야의 수재 양성을 위해 각 시도에 영재교육 기관인 제1고등중학교를 신설하고 컴퓨터 분야의 중등 영재 교육기관을 지정하며, 대학에서도 수재반을 설치하였다. 이후 2002년에 인민학교는 소학교로, 고등중학교는 중학교로 명칭이 변경되었다. 약 40년 가까이 이어져 온 북한의 '전반적 11년제 의무교육' 제도는 김정은시기 들어와 '전반적 12년제 의무교육'으로 변화했다(통일교육원, 2019, 178).

학제 개편과 더불어 북한은 2013(주체 102)년 8월 '전민과학기술

인재화'를 내세우며 지식경제 시대의 요구에 맞게 과학기술 교육을 강화할 것을 강조했다. '전민과학기술인재화'에 대한 강조는 김정은 노작인 '새세기 교육혁명을 일으켜 우리나라를 교육의 나라, 인재강 국으로 빛내이자'(2018.8)에서도 이어졌다. 이후 노동신문 사설 등을 통해 '교육부문에서는 현실발전의 요구에 맞게 교육체계와 내용, 방법을 결정적으로 개선해 전민과학기술인재화를 실현해나가는데서 핵심적 역할을 해야 한다.'고 하면서 '전반적 12년제 의무교육제의 생활력을 발양시키고 고등교육부문에서 과학기술교육의 질을 높여 새 세대들을 과학기술강국의 주인공들로 준비시켜야 한다.'고 강조했다 (「로동신문」 2014년 10월 20일).[19]

---

19) '전민과학기술인재화'란 "전체 인민을 높은 과학기술지식과 창조적 능력을 소유한 인재로 만든다는 것"으로 "사회의 모든 성원들을 최신과학지식과 기술기능에 정통하고 그것을 능숙하게 활용하며 강성국가 건설에서 제기되는 과학기술적 문제들을 원만히 풀어 나갈 수 있는 혁명인재로 키운다는 것"으로 설명되고 있다.

<표 19> 2013(주체 102)년 북한의 학제

연령				
25	박사원			고등교육
24	연구원			
23	(2~3년)			
22	대학 (4~6년)			
21				
20				
19		단과대학 (3~4년)	고등 전문학교 (2~3년)	
18				
17				
16	의무교육 12년	고급중학교(3년)		중등교육
15				
14				
13		초급중학교(3년)		
12				
11				
10		소학교(5년)		초등교육
9				
8				
7				
6				
5		높은반(1년)	유치원(2년)	취학전교육
4		낮은반(1년)		
3		탁아소		
2				
1				

※ 출처: 통일교육원, 2019. p.179

김정은시기 교육 개편의 특징 중 하나는 보통교육 부분을 뜻하는 기존의 '보통일반교육' 체계에 대해 고급중학교 단계에서 '기술고급중학교'라는 새로운 교종이 시도되고 있다는 점이다. 당국의 발표에 따르면 '일반중학교'에서는 중등일반지식을 위주로 가르치는데 비해 '기술 고급중학교'는 '일반교육'과 함께 해당 지역의 경제적 지리적 특성에 따른 '기초기술교육'을 실시한다(「교원신문」, 2014년 10월 2일 2면).[20] 북한은 이와 같은 기술 고급중학교를 시범적으로 설립하여 운영하도록 하면서 기술 분야의 교육을 강화하고 있다.

북한에서는 2012년에 학제 개편이 이루어지고 2013년에 교육과정 개정이 단행되었다. 이 시기의 교육과정은 학제의 개편과 함께 이루어졌으며 몇 가지 특징이 나타나는데 그 특징은 다음과 같다.

첫째 김일성, 김정일, 김정은 등 김일성 가계 우상화 교육 및 세습화의 정당화를 교과서를 통해 교육에 이용하고 있다는 점이다. 물론 이러한 현상은 김일성시기부터 있었지만 김정은시기의 교육과정 개편에서는 '경애하는 김정은원수님 혁명력사' 교과목이 신설되었는데, 이러한 점은 김일성 가계의 우상화 및 세습의 정당화를 더 강하게 뒷받침해 주는 것이다. 더군다나 교과서의 단원 첫 부분에 나오는 최고지도자의 교시 내용 중 김정은의 교시 내용이 등장했다는 점인

---

20) 새로운 교종인 기술고급중학교를 시범적으로 내오는 데 맞게 일반고급중학교들에서는 중등 일반지식을 위주로 교육하고 기술고급중학교들에서는 일반교육과 함께 해당 지역의 경제지리적 특성에 맞는 기초기술교육을 주기 위한 준비사업을 책임적으로 하겠습니다.

데, 김정은은 2012년에 등장하고 2013년부터 교과서가 제작되었다는 점을 감안하여 고려한다면 시기적으로 이른 것으로 분석된다.

김정일시기의 교육과정에서는 최고지도자들의 '혁명력사'나 '혁명활동'에 대한 교과와 '사회주의도덕', '현행당정책' 등이 있었지만 김정은시기의 교육과정에서는 인민학교에 '경애하는 김정은원수님의 어린시절', 고등중학교에 '경애하는 김정은원수님의 혁명활동', '경애하는 김정은원수님의 혁명력사' 등이 추가되면서 정치사상 교육의 교과 수업시수는 증가하고 상대적으로 다른 일반교과의 수업시수는 감소했다. 이 시기에 지리 교과도 한 주당 수업 시간 수가 감소하였다. 이러한 현상은 북한이 3대째 이어지는 세습 구조를 확고히 하는 것을 어린 학생들에게 주입하겠다는 북한의 의지가 교육과정에 반영되었다고 볼 수 있다.

둘째 과학, 수학, 외국어 등의 과목을 중점적으로 가르치고 있으며, 컴퓨터 등 기술 분야의 교과에 많은 시간 수를 배정한다는 점을 특징으로 들 수 있다. 김정은시기의 중등학교에서 배우는 교과목에서 보듯이 수학에 많은 시간을 배정하고 있어 기초과학 분야에 치중하고 있다는 것을 알 수 있다. 또한, 외국어는 이전의 러시아어나 중국어는 사라지고 모두 영어를 배운다는 것은 영어의 중요성을 알고 있다는 증거가 된다.

그러나 지금까지 김정은시기의 교육과정 및 교과서의 변화 등은 모두 사회적 요구가 있을 때 변화가 나타나지만 아무리 사회적 요구가 있다고 할지라도 최고지도자의 지시가 없으면 안 되는 북한 사회를 볼 때 최고지도자의 결정이 있었다고 판단된다. 이렇게 개방적으로 변화하고 있는 것은 여러 가지 이유로 추론할 수 있겠지만 김정은의 해외 교육 경험과 국제사회의 조류를 읽은 최고지도자의 의지가 영향을 준 것으로 볼 수 있다.

조선지리1(2013년). p.38.

<표 20> 2013(주체 102)년 초급중학교 교과목 및 수업 시간

교과명	주당 수업 시간 수			수업 시간	비중 (%)
	1학년	2학년	3학년		
위대한 수령 김일성대원수님 혁명활동	2	2		136	3.9
위대한 령도자 김정일대원수님 혁명활동		2	2	136	3.9
항일의 녀성영웅 김정숙어머님 혁명활동	1			34	1.0
경애하는 김정은원수님 혁명활동	1	1	1	102	3.0
사회주의도덕	1	1	1	102	3.0
국어	5	5	5	510	14.7
영어	4	4	4	408	11.8
조선력사	1	1	2	136	3.9
조선지리	1	1	1	102	3.0
수학	6	5	6	578	16.7
자연과학	5	5	5	510	14.7
정보기술	2주	2주	2주	192	5.5
기초기술	1	1	1	102	3.0
체육	2(1주)	2(1주)	2(1주)	204	5.9
음악무용	1	1	1	102	3.0
미술	1	1	1	102	3.0
전체 16과목	15	15	15	3,456	100

※ 초급중학교는 1~3학년까지 1학기 18주, 2학기 16주이다.(조정아, 2014, p.193)

　

김정은시기의 중등교육은 북한에서 주장하는 나선형 교육체계로 구성된 것으로 보인다. 지리교과에서 학습하는 내용을 살펴보면 초급중학교에서 학습하는 내용의 양이 고급중학교의 학습량보다 적다.

교과서의 구성면에서도 초급중학교에서 학습하는 부분은 쉬운 부분이라면 고급중학교에서 학습하는 부분은 초급중학교에서 배운 것을 바탕으로 학습하게 되어 있다. 또한 초급중학교의 조선지리 교과서 글씨 크기도 고급중학교의 지리교과서 글씨 크기보다 커서 이전의 교과서와는 많은 차이를 보인다.

<표 20>은 2013(주체 102)년 초급중학교에서 학습하는 교과목과 수업 시간이다. 북한 초급중학교에서 정치사상 분야 교과목은 '위대한 수령 김일성원수님 혁명활동', '위대한 령도자 김정일원수님 혁명활동', '항일의 녀성영웅 김정숙어머님 혁명력사', '경애하는 김정은원수님 혁명활동', '사회주의 도덕' 등 5개 과목으로 총 수업 시간 수는 510시간이다. 이것은 총 수업 시간 수인 3,456시간의 약 15%를 차지한다.

북한 초급중학교 학생들은 3년간 총 3,456시간의 수업을 이수해야 한다. 국어 교과(국어)는 510시간, 수학 교과(수학)는 578시간, 영어 교과(영어)는 408시간이 배정되어 있으며 이 세 교과의 시간을 모두 합치면 1,496시간으로 전체 3,456시간 중 43.3%로 여전히 높은 비중이다. 사회 교과는 조선력사 136시간과 조선지리 102시간으로, 사회 교과는 모두 238시간 배정되어 있다. 과학 교과는 자연과학 510시간으로 구성되어 있으며 전체의 14.8%로 사회 교과와 동일하게 배정되어 있다.

초급중학교 3년 동안 배우는 교과목은 모두 16과목이지만 학년별로 정치사상 분야의 교과목 중 한 개 과목씩을 배우지 않기 때문에 각 학년별로는 한 학년에 15과목씩을 배우고 있다. 정치사상 분야의 교과목은 '위대한 수령 김일성대원수님 혁명활동'을 비롯하여 3부자에 대한 교육과 '항일의 녀성영웅 김정숙어머님 혁명력사' 및 '사회주의도덕'까지 모두 5과목으로 네 분야로 구분한 것 중 가장 많다. 인문 분야의 과목은 '국어', '영어', '조선력사', '조선지리' 등 4과목이며, 자연 분야의 과목은 '수학', '자연과학', '정보기술', '기초기술' 등 모두 4과목이다. 그 외에 예·체능 교과는 '체육', '음악 무용', '미술' 등의 과목이 있다. 수업 시간 수에서 가장 높은 비중을 차지하는 과목은 '수학' 578시간이며, 그다음으로 '국어'는 510시간, '자연과학' 510시간, '영어' 408시간 순으로 비중이 높다.

초급중학교 정치사상 과목은 '위대한 수령 김일성대원수님 혁명활동', '위대한 령도자 김정일대원수님 혁명활동', '항일의 녀성영웅 김정숙어머님 혁명활동', '경애하는 김정은원수님 혁명활동', '사회주의도덕' 등 모두 5과목으로 1학년에는 1주일에 5시간, 2학년에는 6시간, 3학년에는 4시간이 배정되어 있다. 따라서 시간표에서만 볼 때 하루에 평균 한 시간씩은 정치사상교과를 학습하게 되어 여전히 정치사상교과가 차지하는 비중이 높게 나타난다. 정치사상교과가 수학, 국어, 자연과학 정도의 수준으로 배정되어 있으며 영어교과보다도 더 높다. 또한 모든 수업 시간에 당정책을 5분정도 해야 하기 때문에 하루 종일 김일성 일가의 우상화 교육을 받으며 세뇌교육을 받았다는 것을 알 수 있다. 결국 북한으로서도 홍과 전의 입장에서 어디에 치중할 것인가를 고민하여 두 가지를 모두 만족하는 방향으로 교육과정을 구성한 것으로 분석된다. 다음은 고급중학교의 학습 교과목과 수업 시간이다.

<표 21> 2013(주체 102)년 고급중학교 교과목 및 수업 시간

교과명	1학년	2학년	3학년	총시간	비중(%)
위대한 수령 김일성대원수님 혁명력사	3	2		160	4.9
위대한 령도자 김정일대원수님 혁명력사		2	4	148	4.5
항일의 녀성영웅 김정숙 어머님 혁명력사		1/2*		42	1.3
경애하는 김정은 원수님 혁명력사	1	1	1	81	2.5
현행당정책	1주	1주	1주	88	2.7
사회주의도덕과 법	1	1	1	81	2.5
심리와 논리			1주	34	1.0
국어문학	3	2	3	215	6.6
한문	1	1	1	81	2.5
영어	3	3	3	243	7.5
력사	1	1	2	104	3.2
지리	1	1	1	81	2.5
수학	5	5/4*	4	368	11.3
물리	5	4	3	331	10.2
화학	3	4	2	248	7.6

교과명	1학년	2학년	3학년	주시간	비중(%)
생물	3	3	2	220	6.8
정보기술	2	1	1	111	3.4
기초기술	2주	3주	3주	272	8.3
공업(농업)기초			4	92	2.8
체육	1	1	1	81	2.5
예술	1	1	1	81	2.5
군사활동초보		1주(48)	1주(48)	96	2.9
전체 22과목	17	20	20	3,258	100

※ 2학년의 '항일의 녀성영웅 김정숙어머님 혁명력사' 과목과 '수학' 과목의 주당 수업 시간은 상호 연계되는 것으로 추정된다.(조정아, 2014, p.197)

※ 1학년 1학기 15주, 2학기 15주, 2학년 1, 2학기 14주, 3학년 1학기 13주, 2학기10주이다.

<표 21>에서 2013(주체 102)년 북한의 고급중학교의 정치사상 분야 교과목은 '위대한 수령 김일성원수님 혁명력사', '위대한 령도자 김정일원수님 혁명력사', '항일의 녀성영웅 김정숙어머님 혁명력사', '경애하는 김정은원수님 혁명력사', '현행당정책', '사회주의 도덕과 법', '심리와 논리' 등 7개 과목이고, 수업 시간 수는 634시간이다. 따라서 정치사상 분야의 수업 시간은 총 수업 시간 수인 3,258시간의 약 19.5%이다. 따라서 전체 수업의 약 20%가 정치사상교육 분야의 수업이다.

2013(주체 102)년 북한의 학생들은 고급중학교 3년간 총 3,258시간의 수업을 이수해야 한다. 국어교과(국어문학, 한문)는 296시간,

수학교과(수학)는 368시간, 영어교과(영어)는 243시간이 배정되어 있으며 이 세 교과의 시간을 모두 합치면 1,369시간으로 전체 3,258시간 중 42.0%로 높은 비중이다. 사회 교과목으로는 '력사' 104시간과 '지리' 81시간으로, 사회교과는 모두 185시간 배정되어 있어 초급중학교에서보다 더 적은 수업 시간을 배정한 것을 알 수 있다. 과학 교과는 '물리' 331시간, '화학' 248시간, '생물' 220시간으로 총 799시간이며 전체의 24.5%로 사회 교과보다 훨씬 많이 배정되어 있어 초급중학교에서 약 14.8%였던 것에 비해 높다.

고급중학교 3년 동안 배우는 교과목은 모두 22과목이다. 초급중학교에 비해서 과목 수부터 차이가 있다. 정치사상 분야의 교과목은 '위대한 수령 김일성대원수님 혁명력사'을 비롯하여 3부자에 대한 교육과 '항일의 녀성영웅 김정숙어머님 혁명력사' 및 '사회주의도덕과 법', '당정책', '심리와 논리'까지 모두 8과목이다(김진숙, 2017, 26). 인문 분야의 과목은 '국어'를 비롯하여 6과목이며, 자연 분야의 과목은 '수학'을 비롯하여 모두 7과목이고, 예·체능 분야에는 '체육', '예술'이다. 수업 시간 수에서 가장 많은 비중이 있는 과목은 초급중학교와 달리 '수학', '물리', '화학', '생물'로 수업 비중이 높다. '수학' 과목은 1학년부터 3학년까지 4~5시간씩 배정되어 있어 일주일 동안 거의 매일 배운다고 볼 수 있다. 고급중학교에는 수학뿐만 아니라 물리, 화학, 생물 등의 비중이 높다. 이것은 김정은의 교시에서도 기술적인 면을 강조하는 부분과 일맥상통한다. 남한의 고등학교에 해당하는 고급중학교에서 음악, 미술 등의 과목들을 모두 '예술'이라는 과목으로 통합되어 있는데 이는 통합 교과의 성격이 강한 부분이라고 볼 수 있다. 고급중학교에는 물리, 화학, 생물 등 세분되어 있지만 초급중학교에서는 자연과학으로 학습하도록 되어 있다. 초급중학교에서 통합 교과가 나타나는 이유는 두 가지로 분석할 수 있는데 하나는 정치사상 분야의 교과목이 차지하는 비중이 증가하였기 때문에 다른 교과목이 축소되는 경우이다. 다른 하나는 김정은은 '새 세기 인재'의 유형으로 '창조형', '실천형' 인재를 강조하였는데 이러한 측면에서 통합 교과가 등장하였다고 분석할 수 있다.

북한 고급중학교 수업에서 당정책, 기초기술, 심리와 논리 등과 같은 과목은 1주 또는 2주 등 주 단위로 표시되어 있다. 이러한 것은 집중 이수하는 과목인 경우인데 두 가지 측면에서 분석할 수 있다. 하나는 블록 스케줄링(Block Scheduling)과 같은 글로벌 스탠더드에 따른 동향이라고 볼 수 있다(김진숙, 2017, p.27). 다른 하나는 시설 및 기자재의 부족일 경우라고 분석해 볼 수 있다. 김정은 체제 이후에 북한 교과서는 다른나라 교과서와 비슷하게 구조를 맞추고 있다.

그리고 컴퓨터의 중요성을 인식하여 컴퓨터 교육을 강화하고 있는 실정이다. 북한에서 컴퓨터 교육은 1990년대 초반부터 시작되었으며 1990년대 후반에는 정규 교과목으로 등장하여 고등중학교 2학년 과정에서 한 주당 2시간씩 교육하고 있다(조정아, 2004, p.65). 현재 '정보와 기술' 과목은 컴퓨터(김진숙, 2017, p.27)를 가르치고 있는 교과목이다. 그런데 북한의 경우 단위학교에서 컴퓨터 구비가 어렵기때문에 동시에 한 반의 모든 학생들을 수업을 진행하기 어렵다. 따라서 주 단위로 수업을 하게 한다면 다른 학년과 또는 다른 반과 수업 시간을 중복되지 않도록 수업을 구성해야 한다. 따라서 북한의 경우 주단위로 수업을 하는 교과목은 당정책, 기초기술 등인데 기초기술은 정보기술과목과 연계하는 실습과목일 가능성이 있다. 따라서 정보기술 과목에서 이론을 배우고 기초기술과목에서 실습을 할 수 있도록 구성되어 있다는 예측이 가능하다. 또한 공업(농업)기초 과목은 도시에서는 공업, 농촌에서는 농업 과목을 수업한다고 볼 수 있다. 남한에서도 6차 교육과정에서 학교의 위치별로 농업과 공업을 분리해서 그 지역의 지역성을 반영하여 농업과 공업 중 한 과목을 가르친 경우가 있었는데 북한에서도 그와 같은 방법을 적용하고 있다.   김정은시기에 외국어 과목명을 영어로 표기한다. 김일성시기에는 노어(러시아어)라고 표시하고 러시아어를 가르치다가 러시아어와 영어를 같이 가르쳤지만 1980년에 이후에는 영어만을 가르쳐왔다. 이것은 북한에서도 영어의 중요성 및 필요성을 강조하기 위한 것으로 분석된다. 1991년과 2001년 교육과정에서는 교과목명이 외국어로 표기되어 있었지만 김정은시기인 2013년에는 영어로 표기되어 있다. 김정은시기의 지리교과서 중 『지리2』는 세계지리 부분이 가장 많이 포함된 교과서인데 『지리2』에서 북한과 미국은 원수지간으로 표현하고 있으며 수학 교과서에서는 원수를 죽이는 것을 사칙연산의 사례로 활용할 정도로 미국을 나쁘게 표현한다. 그러나 북한은 현재 국제어로 통용되는 것이 영어라는 점을 간과하지 않고 있어 과목명도 영어로 표기한다. 다음은 초급중학교와 고급중학교 학생들의 학교생활을 정리한 것이다.

북한의 초급중학교와 고급중학교의 학생들은 개학과 방학 일정이 모두 같다. 수업 시간은 45분으로 동일하며, 월요일부터 금요일까지는 6시간, 토요일은 4시간이다. 학생들은 소학교를 마치고 초급중학교에 입학하면 소년단에 입단하여 생활한다. 초급중학교를 졸업하고 고급중학교에 입학한 학생들은 김일성사회주의청년동맹 가입하게 되며 동시에 붉은청년근위대에 가입되어 활동한다. 특히 고급중학교 2학년이 되면 모든 학생이 학교 안에서나 근위대 야영 훈련소에서 군사훈련 과정을 수료해야 한다. 또한 3학년이 되면 1주일 동안 전적지 등으로 견학을 다녀와야 한다. 따라서 북한의 학생들은 순수하게 학습하는 시간 외에도 많은 시간을 할애해서 나무심기, 농촌 봉사활동 등 다양한 활동을 수행해야 한다.

<표 22> 초급중학교와 고급중학교 학생들의 학교생활

구분	학년	수업주 수		수업외 활동		비고
		전체수업	순수업	공통 활동	학년별 활동	
초급중학교	1	52주	34주	1학기 4.1.~9.30., 2학기 10.1.~3.31., 집중 교수 2주, 시험 3주, 나무심기 1주, 새학기 준비 10일, 명절휴식 1주, 방학8주(55일)	차이 없음	초급중학생은 소년단 가입 주당 32시간(월~금 6시간, 토 4시간), 1시간은 45분 수업 연간1,152시간(3년간 총 3,456시간) 수업 3년 동안 16과목 수업
	2	52주	34주			
	3	52주	34주			
고급중학교	1	52주	30주	1학기 4.1.~9.30., 2학기 10.1.~3.31., 붉은청년근위대훈련 1주, 나무심기 3주, 생산노동 9주, 농촌지원활동3주, 새학기 준비 10일, 명절휴식 1주, 방학8주(55일)	학년말 동맹생활총화: 학년말시험후 2일간 진행	고급중학생은 김일성사회주의청년동맹 가입, 동시에 붉은청년근위대 가입, 남녀학생 모두 학교 내와 근위대 야영훈련소에서 군사훈련 과정(2학년 때) 3년 동안 22개 과목 수업 3년 동안 주당 34시간 주당 (월~금 6시간, 토 4시간), 1시간은 45분 수업, 3년간 총 3,258시간 수업
	2	52주	28주		견학 1주	
	3	48주	23주		학년말 동맹생활총화: 졸업시험 후 2월 25~27일간 진행	

※ 조정아, 2014, pp.192-196의 글을 바탕으로 편집하였음.

김정은시기 이전까지 중등학교 과정은 하나로 통합되어 있었으나 김정은시기에는 초급중학교와 고급중학교로 분리·운영하였다. 초급중학교와 고급중학교에서 김정일시기와 김정은시기의 교과목을 비교해 볼 때 추가된 교과목으로 대표적인 것은 '경애하는 김정은원수님 혁명활동', '경애하는 김정은원수님 혁명력사'이다. 이러한 교과목은 김일성 일가의 우상화 교육의 목적으로 등장한 것이다. 다음 자료는 초급중학교 분야별 교과목 자료이다.

<표 23> 2013(주체 102)년 초급중학교 분야별 교과목

구분	과목수	교과목 명	시간 수	비중(%)
정치사상 분야	5과목	위대한 수령 김일성대원수님 혁명활동, 위대한 령도자 김정일대원수님 혁명활동, 항일의 녀성영웅 김정숙어머님 혁명활동, 경애하는 김정은원수님 혁명활동, 사회주의 도덕	510	14.8
인문 분야	4과목	국어, 영어, 조선력사, 조선지리	1,156	33.4
자연 분야	4과목	수학, 자연과학, 정보기술, 기초기술	1,382	40.0
예체능 분야	3과목	체육, 음악무용, 미술	408	11.8

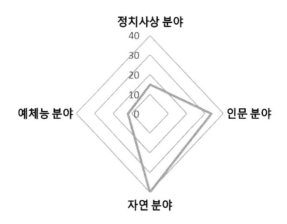

[그림 11] 2013(주체 102)년 초급중학교 분야별 교과목 시간 수 비중(%)

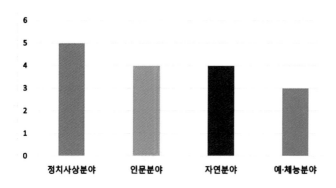

[그림 12] 2013(주체 102)년 초급중학교 분야별 교과목 수

김정은시기인 2013(주체 102)년 초급중학교 자료에서 정치사상
분야의 교과목은 5과목으로 수업 시간 비중은 약 15%로 이전의 비

중보다는 높다. 자연 분야 교과목수는 4과목이며 수업 시간 수 비중은 약 40%로 약 33%인 인문 분야보다는 높다. 그리고 예·체능 분야 교과목 수업 시간 수 비중이 약 12%로 이전의 교육과정에서보다는 높게 나타나고 있다. 다음 자료는 고급중학교 교과목을 분야별로 분류한 것이다.

<표 24> 2013(주체 102)년 고급중학교 분야별 교과목

분야	과목수	교과목 명	시간 수	비중(%)
정치사상 분야	8과목	위대한 수령 김일성대원수님 혁명력사, 위대한 령도자 김정일대원수님 혁명력사, 항일의 녀성영웅 김정숙어머님 혁명력사, 경애하는 김정은원수님 혁명력사, 현행당정책, 사회주의 도덕과 법, 심리와 논리, 군사활동초보	730	22.4
인문 분야	5과목	국어문학, 한문, 영어, 력사, 지리	724	22.2
자연 분야	8과목	수학, 물리, 화학, 생물, 정보기술, 기초기술, 공업(농업)기초	1,642	50.4
예·체능 분야	2과목	체육, 예술	162	5.0

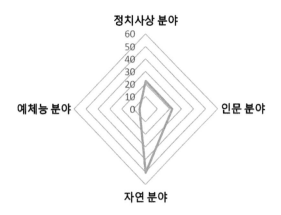

[그림 13] 2013(주체 102)년 고급중학교 분야별 교과목 시간 수 비중(%)

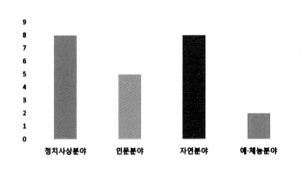

[그림 14] 2013(주체 102)년 고급중학교 분야별 교과목 수

2013(주체 102)년 고급중학교 자료에서 정치사상 분야의 교과목은 8과목으로 수업 시간 비중은 약 22%이다. 이것은 정치사상 분야

의 교과목이 등장한 1983년 이후 가장 큰 비중이다. 그리고 자연 분야 교과목은 8과목으로 수업 시간 수 비중은 약 50%로 큰 비중을 차지한다. 약 22%인 인문 분야보다는 훨씬 높은 비중을 차지한다. 정치사상 분야의 교과목 수업 시간 비중과 자연 분야 교과목 수업 시간 비중을 합치면 72%로 매우 높다. 예·체능 분야 교과수업 시간 수 비중은 약 5%로 이전 교육과정보다 훨씬 낮다.

2023년에 심은 라일락

Part 5

북한 지도자 시기별 교육과정 변화

1. 교육목표의 변화

북한에서 김일성 정권이 수립된 후 김정일과 김정은으로 이어지는 세습체제를 유지하였다. 그동안 구소련식 교육제도를 도입하여 교육을 시작하였지만, 그들 나름대로 주체사상을 가미하고 우상화 교육을 통한 북한식 교육제도를 마련하였다. 학생들의 학습 연령이나 학제, 의무교육 등에서도 변화가 있었으며 지금은 12년제 의무교육을 실시하고 있다.

교육은 국가에서 그들의 이념을 전달하는 수단으로 작용하고 있다. 그러한 면에서 북한은 홍과 전의 고민이 계속 되어 왔으며, 어느 것 하나를 소홀히 할 수 없는 상황이었다. 공산주의적 사상교육을 중요시해야 하지만 경제를 부흥 발전시키려면 전문적인 지식이 필요하기 때문이다. 북한 정권이 수립되는 시기에는 소련 교육전문가들이 파견되어 그들의 영향력 아래에 있었기 때문에 일반적인 교과목을 학교에서 가르쳤다. 하지만 구소련의 변화 및 국제정세에 부응하기 위해서는 홍과 전의 고민이 계속되었다.

북한은 기본적으로 교육을 사회주의 혁명의 일환으로 보았으며, 교원은 직업적 혁명가로 생각하였다. '사회주의 교육의 원리를 구현하여 새 세대들이 혁명적 세계관의 골격을 튼튼히 세우고 현대과학과 기술의 지식을 심오하게 학습하며, 한 가지 이상의 기술을 가지고 사회에 나갈 수 있도록 하는 것'이 북한 초·중등교육의 기본목표였다. 이처럼 북한 정권은 초기에 새로운 교육을 만들고자 했다. 북한의 초기 교육과정에는 우상화 교육이나 공산주의 이념에 대한 교과목이 없었는데 그 이유는 북한 교육과정이 마르크스-레닌주의 사상에 근거하여 전개된 소련 교육학에 있었기 때문이었다.

김일성시기 교육의 특징은 수월성 교육보다는 평등교육을 기반으로 한 무상 의무교육을 통한 공산주의 사상의 주입이었다. 문맹률을 낮추기 위해 성인들에게는 사회교육의 기회를 확대하고 어린 학생들에게는 의무교육을 통해 국가의 이념을 심어주었다. 1954년 어린 학생들은 인민학교를 5년제에서 4년제로 단축하였고, 성인은 초등교육에 해당하는 인민학교를 속성반으로 하여 1년~2년 과정에 마칠 수 있도록 하였다. 또한 노동자은 6개월~1년 안에 마칠 수 있도록 하였다. 이렇게 북한에서는 일과 학습을 병행할 수 있도록 교육체제를 마련하는 등 성인의 문해 교육에도 노력하였다.

교육에서 평등주의를 원칙으로 삼았던 김일성시기의 북한 교육은 1990년 이후 소련 및 공산권의 붕괴와 경제난 등 국제정세의 환경 변화에 적응하기 위해 외국어와 컴퓨터 등 과학기술 교육과 외국어 교육을 강조하였고 영재육성에도 노력하였다. 김일성이 집권하고 있을 때도 김정일은 여러 방면에서 정책 결정에서 깊숙이 관여하였으며, 1982년 김정일은 '수재 속성 교육방침'의 발표와 수재교육을 위한 법적 기틀을 마련하였다. 이에 북한 최초의 과학 영재교육 기관인 평양 제1중학교가 설립되었으며, 각 시도에 영재학교를 설립하게 되었다. 이어서 영재교육에서 조기교육을 강조하기 시작했다.

김정일이 집권한 후 북한의 경제난은 더욱 심각해졌으며 고난의 행군시기가 이어졌다. 따라서 교육은 파행적으로 행해져 출석률 저조, 수업 질 및 교권의 하락 등으로 11년제 무상의무교육제도가 유명무실하게 되었다. 이러한 상황에서도 김정일은 정치사상 교육과 수재교육에 치중하였다. 이전까지 북한교육이 의무교육으로 모든 주민들에게 평등성 교육을 강조해왔던 것과는 달리 수월성 교육을 추구하는 입장을 취하게 된 것이다. 북한은 교육에서 정치사상, 공산주의 교육 등으로 요약할 수 있는 홍(紅)과 전문지식 기술, 과학분야, 컴퓨터, 영어 등의 전문분야의 기술 등으로 요약할 수 있는 전(專)에 대한 입장에서 고민을 해야만 했다. 김정일로서는 홍에 대한 치중을 하면서도 전에 대한 교육을 계속해야만 했다. 과학기술을 중심으로 하는 교육정책은 경제난을 극복하는 방법으로 생각하였으며, 컴퓨터 및 정보통신 분야를 중시하였다.

김정일시기의 교육과정 중에 또 다른 특징은 지역별 특성에 맞는 선택 과목제 도입이었다. 농촌 지역에서는 농업 관련 교육, 어촌 지역에서는 어업 관련 교육, 산간 지역에서는 임업 관련 교육, 경공업 공장 지역에서는 경공업 관련 교육을 집중시키는 방식이었다. 선택 과목제가 도입되면서 과목별 교과서도 개발되었다.

김정은의 등장으로 북한 교육에 큰 방향 전환이 있었다. 이전 최고지도자들의 교육 변화는 국내의 필요에 의해서 수정한 단계였다고 한다면, 김정은시기 교육 변화는 교육 환경을 국제적 수준으로 맞추려는 기반을 만든 것이다. 학제의 변화뿐만 아니라 교육의 전반적인 부분에서 국제화에 접근하려고 노력하였다. 그동안 고등중학교로 통합되어 있던 중등교육을 초급중학교와 고급중학교로 분리하여 운영하였으며, 의무교육 연한도 1년을 연장하여 12년제로 운영하였다.

김정은은 '새 세기 인재'의 유형으로 '창조형', '실천형' 인재를 강조한다. 김정은은 고등교육 체계가 '공업경제시대'의 틀에 머물러 있어 '지식경제시대'를 이끌어갈 인재를 양성하는 데 한계가 있어 앞으로는 '창조형 인재'를 육성해야 한다고 지적하였다. 이에 부합하여 자연 분야의 교과 수업 시간을 증가시키고, '외국어'를 '영어'로 교과목 명칭을 변경·운영하였다. 교과서 외형에서도 큰 차이를 보이는데 그동안의 교과서가 표지만 2도 컬러이고 속지는 모두 흑백 인쇄에 종이의 질은 갱지를 사용하였다면 이 시기에는 대부분의 교과서 표지 및 속지도 모두 컬러이고 종이의 질도 좋아져서 교과서의 가독성이 향상되었다. 또한 김정일시기의 지리교과서에서 다양하게 표시되었던 학생활동을 그림기호(아이콘)로 만들어 정리하였다. 지리교과서의 구성도 글 자료 중심의 설명에서 그림 및 사진 중심의 시각적인 면을 강조하였다.

2. 학교급별 학습과목의 변화

학교교육과정은 그 시대의 요구가 반영되며, 어떤 과목을 어느 시기에 학습해야 하는가를 결정한다. 어느 특정 시기에는 공업이나 농업 등의 교과가 교육과정에서 존재하지만 산업구조가 변하면서 서비스 계통이나 컴퓨터 관련 교과 등이 등장한다. 따라서 북한에서 최고지도자 시기별로 학습 과목을 비교할 필요가 있다.

<표 25>와 같이 김일성시기와 김정일시기의 교과목을 비교하면 추가된 교과목으로 대표적인 것은 '항일의 녀성영웅 김정숙어머님 혁명력사'이다. '항일의 녀성영웅 김정숙어머님 혁명력사'는 김일성 일가 우상화의 한 방법으로 여성의 역할을 강조하는 교육 내용이라고 볼 수 있다. 또 다른 특징으로는 '콤퓨터' 교과가 추가되었다는 점과 '국어 문학' 과목이 분리되어 각각 '국어'와 '문학'으로 분리되어 중학교 과정에서는 국어, 고등학교 과정에서는 문학을 가르친다는 점이다. 그 외 외국어와 역사 등에서 수업시간에 약간의 차이는 있으나 유의미한 정도는 아니다. 두 시기에 삭제된 교과와 추가된 교과는 다음과 같다.

<표 25> 김일성시기(1991년)와 김정일시기(2001년)의 교과목 비교

구분	중학교(1~3학년)	고등학교(4~6학년)
2001년 교육과정에서 추가된 교과목	항일의 녀성영웅 김정숙어머님 혁명력사, 사회주의도덕(공산주의 도덕)	항일의 녀성영웅 김정숙어머님 혁명력사, 사회주의도덕(공산주의 도덕), 콤퓨터
2001년 교육과정에서 삭제된 교과목	특강, 녀학생실습(녀자), 공장실습(남자)	특강, 실습, 녀학생실습(녀자), 공장실습(남자)
변경된 교과목	'국어 문학' 교과목이 '국어'로 변경	'국어 문학' 교과목이 '문학'으로 변경

위 자료에서 가장 큰 특징은 2001(주체 90)년에 김정숙 관련 교과목의 등장이다. 추가된 과목은 4학년에서 배우는 '항일의 녀성영웅 김정숙어머님 혁명력사', 1학년부터 6학년까지 배우는 '사회주의도덕(공산주의도덕)[21]', 정치사상 과목의 증가와 함께 김정숙을 등장시키는 것은 여성 지도자에 대한 관심이다. 이렇게 정치사상 분야의 교과목 증가는 공산주의 사상 교육과 김일성 일가의 우상화 교육을 강화했다는 것을 보여주는 부분이다.

---

21) 사회주의도덕 과목의 명칭은 원래 2000년 초까지 공산주의도덕이었다. 명칭이 바뀐 정확한 시기는 알 수 없지만, 2002년에 공산주의도덕 교과서가 마지막으로 발행된 후 2004년에 사회주의도덕 교과서로 이름이 바뀌어 있는 것이 확인된다. 따라서 2003년, 혹은 2004년에 바뀐 것으로 보인다. 구소련과 동유럽권 국가들이 붕괴된 후, 이상형(理想型)인 '공산주의' 표현보다는 '사회주의'라는 표현을 사용하는 것이 실용적이라고 생각한 것 같다.(백창룡, "<해설> 북한 교육 과목 '사회주의도덕', 그 목적과 내용". 북한자료실 내 CD자료). pp.4-5.

또한 기술 분야의 과목도 추가되었다. 김정일시기인 2001(주체 90)년에 '실습', '선택' 교과목은 삭제되었지만, 4학년에서 6학년까지 배우는 '콤퓨터' 교과가 추가되었다. 기술 분야 교과목이라고 할 수 있는 '콤퓨터' 과목은 시대를 반영한 것이다. 김정일시기에 기술교육이 강조되면서 사상교육과 기술교육을 강화하면서 전문지식 및 기술을 갖춘 혁명인재 육성을 교육의 목표로 삼고 교육과정의 변화를 가져왔으며 그것을 실천한 것이다.

<표 26>은 고급중학교에서 학습하는 교과목을 중심으로 김정일시기(2001년)와 김정은시기(2013년)의 교과목을 비교하였으며, 삭제되거나 추가된 교과목을 정리한 것이다. 김정일시기 초급중학교에서 '실습(남, 녀)' 교과는 사라지고 '정보기술'과 '기초기술' 교과가 추가되었다. 이러한 현상은 기술 분야에 대한 교육을 강화시킨 것으로 분석된다. 또한 물리, 화학, 생물 등으로 분리되어 가르치던 교과를 초급중학교에서는 통합과목을 신설하여 '자연과학'으로 하였다. 초급중학교부터 교육을 학문적으로 가르치지 않고 통합하여 가르치려는 의도가 보이는 부분이다.

<표 26> 김정일시기(2001년)와 김정은시기(2013년)의 교과목 비교

구분	초급중학교	고급중학교
2013년에 추가된 교과목	경애하는 김정은원수님 혁명활동, 정보기술, 기초기술	경애하는 김정은원수님 혁명활동, 심리와 논리, 정보기술, 기초기술, 공업(농업)기초, 군사활동초보
2013년에 삭제된 교과목	실습(남, 녀)	제도(4학년, 5학년에서 학습), 콤퓨터, 실습(남, 녀)
변경된 교과목	'물리', '화학', '생물' 교과목이 '자연과학'으로 통합 '음악' 교과목이 '음악', '무용'으로 분리	'외국어' 교과목 명이 '영로'로 표기 '음악'(4학년만 학습) 교과목이 '예술'(고급중학교 전과정)로 변경

고급중학교에서 삭제된 교과는 4학년, 5학년에서 가르치던 '제도'와 '콤퓨터', '실습(남, 녀)' 등이다. 제도와 실습(남, 녀)은 시대적으로 변했기 때문에 삭제되었다고 해도 '콤퓨터' 교과가 삭제된 부분은 '콤퓨터' 과목을 '정보기술'과 '기초기술'로 분리하여 가르치고 있으므로 실제로 삭제된 것은 아니고 과목 명이 세분된 것으로 보아야 할 것이다.

김정은시기에 추가된 교과목으로 대표적인 것은 초급중학교에서 '경애하는 김정은원수님 혁명활동'과 고급중학교에서 '경애하는 김정은원수님 혁명력사', 고급중학교 '심리와 논리', '군사활동초보' 교과이다. 이러한 교과의 특징은 모두 사회주의 사상교육이나 김일성 일가의 우상화 교육에 필요한 교과이다. 그만큼 사상교육에 치중하고 있다는 면을 보여주는 부분이다.

<표 27> 분야별 교과목 비중(%) 변화

시기	구분		정보 분야	비중	인문 분야	비중	자연 분야	비중	예능 분야	비중
김일성시기	과목수		5	25.0	5	25.0	7	35.0	3	15.0
	시간 수		669	11.8	2,235	39.3	2,280	40.1	498	8.8
김정일시기	과목수		7	30.4	6	26.2	7	30.4	3	13.0
	시간 수		1,090	11.9	3,570	39.0	3,790	41.4	710	7.8
김정은시기	초급중	과목수	5	31.3	4	25.0	4	25.0	3	18.8
		시간수	510	14.8	1,156	33.4	1,382	40.0	408	11.8
	고급중	과목수	8	34.8	5	21.7	8	34.8	2	8.7
		시간수	730	22.4	724	22.2	1,642	50.4	162	5.0

또한 고급중학교에서 추가된 교과목은 '정보기술', '기초기술', '공업(농업)기초'이다. 이것은 초급중학교에서 설명한 대로 '콤퓨터' 교과의 과목 명이 세분된 것이라고 분석된다. 김정은시기에는 학교 교육제도 뿐만 아니라 교과서 및 교육과정 상의 교과목 등에서 많은 변화가 나타난다. 다음 자료는 최고지도자의 시기별로 분야별 교과목 및 시간 등의 변화를 정리한 것이다.

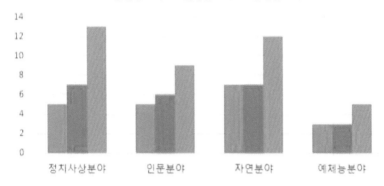

[그림 15] 시기별 분야별 교과목 수 변화

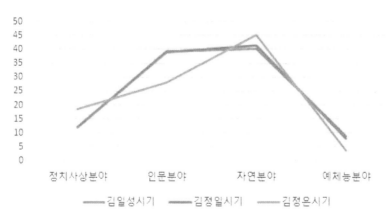

[그림 16] 시기별 분야별 교과목 수업 시간 수 비중 변화

최고지도자별로 교과목을 정치사상 분야, 인문 분야, 자연 분야, 예·체능 분야로 구분한 자료를 바탕으로 과목 군별 수의 변화와 과목 군별 학습시간 수의 변화를 파악하였다. 이러한 면은 실질적으로

최고지도자 시기별로 학교에서 수업 시간이 어느 부분에 비중을 두고 있는가를 파악하는 동시에 최고지도자의 의중이 담긴 교육 정책의 방향이다. 따라서 최고지도자별로 어느 분야의 교과에 치중하고 있는가를 분석하였다.

위 자료와 같이 김정일시기에는 정치사상 분야의 과목 수가 다른 최고지도자 시기의 정치사상 분야 과목 수보다 월등히 많다. 그것은 초급중학교의 '경애하는 김정은원수님 혁명활동'과 고급중학교의 '경애하는 김정은 원수님 혁명력사' 과목과 '군사초보' 과목이 추가되었기 때문이다.

학교에서 과목별로 수업 시간 변화를 나타낸 자료에서와 같이 김일성시기의 교과수업 시간이 가장 많은 분야는 자연 분야의 수업 시간(2,280시간)으로 인문 분야의 수업 시간(2,235시간)과는 거의 차이가 나지 않는다. 비슷한 시간대로 학습하고 있으나 실제적인 면을 분석해 보면 인문 분야의 교과목은 5개 과목에 대해서 2,235시간이며, 자연 분야의 과목은 7개 과목에 대해서 2,280시간이다. 따라서 인문 분야의 과목은 한 과목당 평균 약 447시간이고 자연 분야의 과목은 한 과목당 평균 약 326시간이다. 따라서 학생들이 느끼기에는 인문 과목에 대한 비중이 높다고 할 수 있다

또한 김정일시기의 분야별 교과목의 수업 시간에서 가장 많은 부분은 자연 분야 교과로 3,790시간이며 인문 분야의 수업 시간 수인

3,570시간보다 많다. 따라서 인문 분야의 한 과목당 평균 수업 시간은 약 595시간이며 자연 분야의 한 과목당 평균 수업 시간은 약 541시간이다.

마지막으로 김정은시기의 교과목을 살펴보면 전체 수업 시간에서 인문 분야와 자연 분야의 수업 시간 차이가 많이 나타난다. 인문 분야는 9개 과목 1,880시간인데 비해 자연 분야는 12개 과목 3,204시간이다. 다른 시기보다 자연 분야의 비중이 훨씬 높게 나타나는 것으로 보아 김정은시기의 교육의 방향은 자연 분야에 치중했다고 볼 수 있다. 자연 분야의 교육은 김정은의 첫 담화에서 밝힌 대로 '세계화 수준'에 맞춘 교육과정의 편성이라고 볼 수 있다. 또한 '콤퓨터' 교과가 김정은시기에는 보이지 않지만 '정보기술', '기초기술'과 같은 교과목에서 학습하고 있기 때문이다.

자료를 분석해 볼 때 김정은시기에는 정치사상 분야의 교육 비중이 높다는 것을 알 수 있다. 김일성, 김정일시기에는 인문 분야와 자연 분야의 교육 비중에서 큰 차이가 없었으나 김정은시기에는 자연 분야의 교육비중이 월등히 높다고 볼 수 있다. 따라서 김정은시기에는 정치사상교육의 비중이 증가했고, 자연 분야의 교육에 치중하고 있다고 볼 수 있다.

Part 6

마치면서

어느 사회나 마찬가지지만 북한도 자신들에게 필요한 인재를 육성하기 위해서 교육을 한다. 그것을 위해서 소학교부터 고급중학교에 이어 대학에서까지 어떻게 가르치고 무엇을 가르칠 것인가를 고민한다. 북한의 교육은 사회주의 교육이념을 기반으로 형성되었으며, 최고지도자가 추구하는 바에 의해서 교육과정이 변화되었다. 북한은 정권 수립 후에 구소련의 영향을 받아 교육과정을 구성하였지만, 구소련의 붕괴와 국내·외 환경 변화 등으로 인해 북한의 교육과정에도 변화가 있었다. 이러한 변화는 공산주의적 새 인간 육성에서 주체형 새 인간 육성과 우상화를 강조하는 방향으로 변해갔으며, 결과적으로 북한의 중등학교에서 학습하는 교과목 및 수업 시간의 변화를 가져왔다. 북한의 초기 교육과정에서는 정치사상 교육 분야 과목이 없었으나 점차 그 비중이 증가하여 김정은시기 고급중학교에서는 약 22%의 비중을 차지하였다. 정치사상 분야의 증가로 인해 일부 교과는 축소되거나 폐지되었으며, 인문 분야와 자연 분야의 수업 시간 비중은 감소하고, 전문적인 기술 분야를 강조하는 자연 분야의 비중이 증가하였다.

북한에서 무상의무교육제도는 1949년 초등의무교육제에 관한 법률로 제정되었으며, 현재 12년제 무상의무교육을 실시하고 있다. 북한은 무상의무교육을 통해 주민들에게 공산주의 이념을 학습시키고 국가가 육성하고자 하는 방향으로 인재 육성을 하였으며, 이로써 우상화 교육을 할 수 있었다. 또한 무상으로 행해지는 의무교육은 북한 주민에게 정권의 이념을 전달하는 수단이 되었다.

세계적으로 이공계열 열풍이 불고 있다. 그렇다고하여 북한도 학교급별로 자연 분야의 수업 비중을 높이고 정치사상분야의 수업 비중을 낮출 수는 없다. 북한은 여전히 홍(紅)과 전(專)에 대한 고민을 하지 않을 수 없다. 홍(紅)은 정치사상, 공산주의 교육 등으로 요약 할 수 있으며, 전(專)은 전문지식 기술, 과학분야, 컴퓨터, 영어

등의 전문분야의 기술 등이라고 할 수 있다. 북한은 전문계통 특수 학교를 이용하여 이러한 문제를 해결하기도 한다. 그러나 전체 학생들을 대상으로 하는 교육에서는 고민할 수밖에 없는 과제일 것이다.

사무실에서 바라본 홍예문(1906~1908)

북한 학생들은 학교에서 무엇을 배울까?